JN242322

ふたごのようなわたしの親友

アリソン・セラーズへ

TIARA FRIENDS #1

THE CASE OF THE STOLEN CROWN

by Paula Harrison

Text ©Paula Harrison, 2017
Japanese translation rights arranged with SCHOLASTIC LTD.
through Japan UNI Agency, Inc., Tokyo

消えたかんむりのなぞ

ポーラ・ハリソン 作　村上利佳 訳　花珠 絵

文響社

人物紹介

城でかわれているコッカー・スパニエル犬。

仕立て屋のむすめ。３年前からペブリル城でメイドをしている。ダンスがとくい。

ペブリル城にすむ、ラバニア国のプリンセス。じつは、おかしづくりが大すき。

ミナの弟。もうすぐ１さい。

ミナとエドワードの母。

ラバニア国の王。ミナの父。

もうひとりのメイド。

ペブリル城のコック。

ペブリル城の執事。

理科と歴史、算数を教える。

ダンスとマナーを教える。

王室の相談役。

テスの母。仕立て屋【ニードルニードル】をいとなむ。

Mina
ね、おどろいた？
わたしたち、ふたごみたいに
そっくりでしょ。
生まれた日は十日ちがい。
かみの色と背の高さは、
ほとんど同じなの！
Tess
ミナはプリンセスで、
ケーキをつくるのがすき。
あたしはメイドで、
とくぎはダンス！
こんなふうにちがってるところも
あるけど、あたしたち、
最高の友だちなんだ。
わたし、
ミナ！
ペブリル城へ、
ようこそ！

Mina

今、ペブリル城は、
あしたのパーティーにむけて
大いそがし。
わたしの弟、エドワード王子の
たんじょう日を
おいわいするんだよ。
ワクワク！

お客さまがたくさんいらして、
ダンスもするみたい！
あたしもしっかり
おてつだいしなくちゃ。
パーティーがぶじに、
はじまるように、ね。

あたしは、
テス！

第1章 そっくりなふたりの女の子

ミナは城の台所で、朝はやくからケーキづくりのまっ最中。

ボウルに入れた生地を、せっせとまぜています。粉のかたまりがのこらないように、すばやくスプーンを動かします。

つくっているのは、エドワード王子のはじめてのバースデーケーキ。あした一さいになる弟のために、ミナは、かんぺきなケーキをつくるつもりでした。だんだんうでがいたくなってきましたが、それでもまぜつづけると、ようやく、なめらかな金色の生地ができました。

「ふー、やっとできた！」

ミナが顔をあげると、白いメイド帽からかみの毛がひとふさこぼれおちました。エプロンにはケーキの生地がついています。

ここは、ラバニア王国ペブリル城の台所。かまどでは火があかあかともえ、かべにはずらりと、おなべがつるしてあります。ハーブやスパイスのつぼも、ならんでいます。

「ねえ、そのスプーン、なめてもいい？」

テーブルのまわりでくるくるおどりながら、テスが聞きました。

みどり色のサテンのドレスが、シュッシュッと音を立てます。ホップ、ステップ、ステップ、ターン。テスがおどると、ベルベットのリボンでむすんだかみの毛が、ポンポンはずみます。

ミナは、にっこりしました。

「まだだーめ！　あと少しでおわるから」

そこへ、ぽっちゃりした、しらがまじりの女の人が、食料庫からバタバタとでてきました。

「やれやれ！　とどいた食料を、ようやくかたづけおわったよ」

城のコック、ウォルシュさんです。エプロンで手をふきながら、ミナのボウルのなかをのぞきこみます。

「生地のぐあいはどうだい、テス？　おや、きのうあたしがためしにやいたやつより、じょうずにできそうじゃないか」

ウォルシュさんはそういいながら、やきあがっているほうのケーキを指さしました。

ふたりの女の子は、顔を見あわせました。

「もちろんばっちりよ」

ミナはそういって、にっこりわらいました。

「でも、わたし、テスじゃないの！」

ウォルシュさんは目をまるくしてから、やれやれと頭をふりました。

「なんてこったい！　もちろんそうだ、ミナ姫さま！　また入れかわってたなんて。おまえさんたちときたら、とんでもないいたずらっ子だよ。ばれないように気をつけないと！」

そういうと、ウォルシュさんはミナからボウルをうけとって、もうひとまぜしました。

「だいじょうぶ。ウォルシュさんのほかは、だれも気づいてないよ！」

テスが、くるくるまわりながらウインクしました。

「朝ごはんのあと、ミナのかわりにダンスレッスンをうけたけど、パーネル先生はあたしのこと、これっぽっちも、うたがってなかったんだから」

ミナ姫とテスは、三年前にテスがペブリル城にメイドとしてやってきてからの大親友です。

テスの両親は、町で仕立て屋をやっています。お母さんは、城でもひょうばんのお針子で、ミナが赤んぼうのころから王室のドレスをつくっています。テスは、城の台所の近くに部屋をもらっていて、休みの日だけ、お父さんとお母さんがいる家に帰るのです。

ふたりは、同じ年の同じ月に生まれました。（ミナは、自分が十日だけお姉さんだと、ことあるごとにいうのがお気にいりですが）

前がみに金色がまざった茶色いかみ。目の色はテスのほうが少しだけ濃いけれど、ふたりともハシバミ色です。背の高さはまったくいっしょ。ふたりはあまりにもそっくりだったので、まるでふたごの姉妹のようでした。

王妃さまとテスのお母さんは、ミナとテスがそっくりなのを、とてもべんりだと思っていました。ミナがプリンセスとしていそがしいときも、テスがミナのかわりにドレスを着て、仮ぬいをすることができたからです。

ところが、テスが自分のかわりをしていると知ったミナは、「わたしだってテスのかわりがしたい！」と、思うようになりました。

そこでふたりは、こっそり着ているものをこうかんして、おたがいになりすますようになったのです。

ふたりのひみつに気づいているのは、城のなかでたったひとり、コックのウォルシュさんだけでした。

「やれやれ。エプロンとメイド帽をつけた姫さまをごらんになったら、王妃さまはなんておっしゃるだろうね」

ウォルシュさんはそういいながら、こまったもんだと頭をふりました。

「でもわたし、この服が大すきなの。弟のケーキだってつくれるんだから、メイドになるのってほんと楽しい！」

ミナは、白いエプロンをなでながらいいました。

「プリンセスになるのも、わるくないよ。ダンスのレッスンをうけられるんだもん」

そういうと、テスは片足でくるりとまわりました。

「まあ、このドレスを一日じゅう着ていたいとは思わないけど！」

ウォルシュさんは、しょうがないねえと、にがわらいしています。

「ケーキをやくのがすきな姫さまと、ダンスがすきなメイドの女の子が入れかわってるなんて、だれひとり夢にも思わないだろうよ」

テスとミナは、にっこりしました。ふたりがわらうと、ほっぺのまったく同じところにえくぼができ、ハシバミ色の目がきらきらとかがやきました。

「あたしたち、見た目はそっくりだけど、すきなことはちがうもんね！ねえ、ミナ。ケーキづくりがおわったら、きょうおぼえた新しいステップを教えてあげる。パーティーでおどるのは、ミナなんだから」

そのとき、ろうかで足音がしました。

「だれか、朝食のあと、ミナを見かけなかった？」

王妃さまの声です。

「あの子ったら、どこにいったのかしら」

ミナはビクッとして、メイド帽を落としてしまいました。あわててひろい、むりやりかぶります。

「テス、どうしよう？」

ミナが、小さい声でいいました。

「だいじょうぶ。そのままあたしのふりをして」

テスも、ひそひそ声でいいました。

「こっちは、かくれてるから！」

そういうと、テスは急いで食料庫にかけこんで、ドアをしめました。

ちょうどそこへ、エドワード王子をだっこした王妃さまが入ってきまし

た。王子は、ぽちゃぽちゃしたうでをふりながら、アブブバブブとおしゃべりしています。ベルベットのズボンに、フリルがついた白いシャツを着て、カールしたブロンドのてっぺんには、ダイヤモンドのついた小さな金のかんむりをのせています。

「これはこれは、王妃さま」

ウォルシュさんが、おじぎをしました。

「ちっちゃな王子さまも、ごきげんよう！　かんむりをかぶって、なんてりっぱなんだろう」

メイド服を着たミナは、お母さまに見つからないように、うしろをむいてテーブルをせっせとふいていましたが、がまんできずにちらっとふりかえりました。

弟は、ほんとうにかわいく見えます。頭にかぶっているのは、ダイヤモンド・ベビークラウンとよばれている特別なかんむりです。何百年にもわたり、王室の子どもたちは、このかんむりをかぶって一さいのたんじょう日をむかえてきました。

王妃さまは、にっこりしました。

「あしたのたんじょう日パーティーのじゅんびをしているの。ダイヤモンド・ベビークラウンをかぶったエドワードが、おりこうにしているところを、みなさんにお見せしなくてはね。それが伝統なんですもの!」

王妃さまは、王子がかんむりをつかんで、はずそうとするのを、そっとやめさせました。

「ミナを見かけたら、あしたのパーティードレスに着がえて、わたくしの部屋にくるようにいってね。あのドレスには、もう少しレースとビーズを足したほうがいい気がしてきたの」

「しょうちいたしました」

と、ウォルシュさんがこたえました。

王妃さまが横を通りすぎたので、ミナはあわてて顔をかくしました。テスと入れかわっているのがばれたら大変なことになります。王妃さまは、王室の決まりとエチケットには、とてもきびしいのです。

食料庫のドアがちょっとあいて、テスが顔をのぞかせました。

「もういい？」

「うん。そろそろわたしたち、もとにもどったほうがいいね」

ミナはすばやく、ウォルシュさんにハグしました。

「ウォルシュさん、ありがとう！　わたし、エドワードのケーキをつくることができてよかった」

ウォルシュさんは、にっこりしました。

「どういたしまして。姫さまのケーキは、あとでちゃんとやいておきますよ！」

⚜・✦・⚜

テスとミナは、うら階段をかけあがって、プリンセスの部屋にむかいました。ミナはお姫さまなので、ほんとうはうら階段を使ってはいけないことになっています。でも、こっちのほうが近道だし、つるつるの手すりはすべりおりて遊ぶのにもってこいなので、ミナは気にいっていました。とはいえ、今朝はすべって遊んでいるひまはありません。

ふたりは、ろうかにでました。かべにつけられたランタンのほのかな明かりが、うす暗いろうかをてらしています。ずらりとかけられた肖像画のなかから、むかしの王さまや王妃さまたちが、ふたりをじろりとにらんでいます。ミナは絵のほうをあまり見ないようにしました。ご先祖さまが、姫がメイド服を着るなんてけしからんとおこっている気がしてきたのです。

「ばかね」

と、ミナはひとりごとをいいました。

——**ただの絵よ！**

メイドのコニーが、カップと皿がのったトレイをもって近くの部屋からでてきました。つんと前を見て、ミナとテスのほうを見ようともしません。

コニーは、ふたりより三つ年上なだけですが、自分のことをおとなだと思っているのです！

コニーが通りすぎたとき、ろうかの一番はしのほうで、カチャッという音がしました。だれかが王妃さまの部屋のドアをしめて、走りさったようです。人影はかどをまがって、長いろうかへと消えていきました。

「スティーンさんかな？」

テスが、ひそひそ声でいいました。

ミナは、まゆをひそめました。

「わからない。暗くてよく見えなかったよ」

人影は、あわててにげだしたような、おかしな感じがしました。スティーンさんは城の執事

で、いつもあれこれ用事をいいつけながら城のなかを歩きまわっています。でも、あんなふうに走っていたことはありません。

「もしスティーンさんだったなら、はやくここからはなれなくちゃ。きっと、あたしにやらせる仕事を、山のように思いついてるはずだもん」

テスはそういうと、まだメイド服を着ているミナを、ちらりと見ました。

「まあ、今なら、ゆかをみがいたりほこりをはらったりするのは、ミナってことになるけどね！」

ミナは、ぺろっと舌をだすと、「いこう！」と、テスの手をつかんで引っぱりました。

ふたりはミナの部屋にかけこんで、サッとドアをしめると、クスクスわらいながらベッドにたおれこみました。

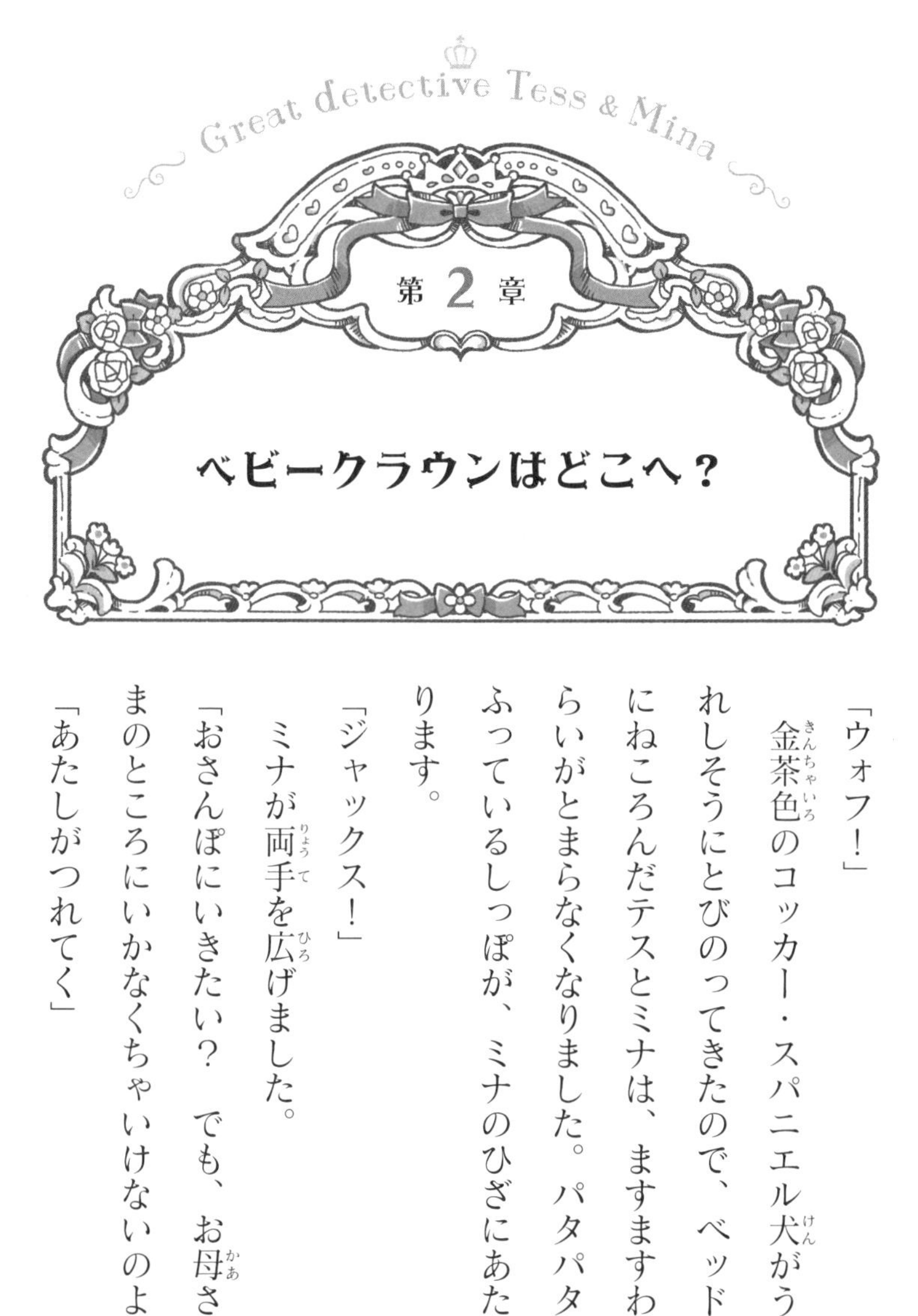

第2章

ベビークラウンはどこへ？

「ウォフ！」

金茶色のコッカー・スパニエル犬がうれしそうにとびのってきたので、ベッドにねころんだテスとミナは、ますますわらいがとまらなくなりました。パタパタふっているしっぽが、ミナのひざにあたります。

「ジャックス！」

ミナが両手を広げました。

「おさんぽにいきたい？　でも、お母さまのところにいかなくちゃいけないのよ」

「あたしがつれてく」

と、テスが手をあげました。

「みずうみにいってくるよ。ジャックスは水のあるところがすきだもんね」

テスは、だらりとたれたジャックスの耳をなでました。

ベルベットのような手ざわりです。

「いきたいよね、ジャックス？」

「ウォフ！」

ジャックスは、ますますしっぽをふりました。

テスはかみのリボンをほどくと、みどり色のサテンのドレスをもぞもぞとぬぎました。

「さてと、もとにもどる時間だね」

「だね！」

ミナも、メイド服とメイド帽をぬぎました。

ふたりとも服の下には、うすくて白いワンピースのような、木綿のペチコートを着ています。

ミナは、鏡台の大きなまるいかがみをのぞきこみました。

つやつやの茶色いかみが、かたより下までカールした、ふたりの女の子がうつっています。

――わたしとテスって、まるでふたごみたい。

ミナは、うれしくてたまりません。

テスはメイド服を着て、白いメイド帽をかぶりました。ミナは、いしょう部屋からラベンダー色のパーティードレスを引っぱりだしてくると、それを着ました。

テスは、ミナのドレスをじっと見ました。

「王妃さまのいうとおりだね。レースとビーズを足したら、もっとすてきになるよ。【ニードルニードル】で買ってこなくちゃ」

テスの両親がやっている店の名前を聞いて、ミナの目がきらりと光りました。

「いいね！　わたしも――」

ところがそのとき、ろうかからかかん高い女の人の声が聞こえて、ミナは口をとじました。

テスにも、その声は聞こえました。

「なにかあったのかな？　ちょっと見てくる」

そういうと、テスは部屋からでていきました。

「消えてしまったわ！」

王妃さまの声です。

「たしかに、ここにおいたのに！」

ミナは、テスのあとを追って、お母さまの部屋に急ぎました。


部屋に入ると、王妃さまがあわてふためいて、なにかをさがしていました。まくらの下やカーテンのうしろも見ています。いつもならきちんとまとめてある黒いかみはほつれて、ほおも赤らんでいます。エドワード王子

はベッドの上にちょこんとすわって、ごきげんでした。手には、木でできた小さなおもちゃの馬をもっています。

執事のスティーンさんが鏡台のそばに立っていて、「ここにおいたのはまちがいないのですか、王妃さま？」と、気どった感じで、まゆをぴくりとあげながら聞きました。

「かんむりは執務室の宝石キャビネットで保管することになっておりますが、もどされなかった、ということですか？」

「もどしてないわ！　すくなくとも、もどしたおぼえはないの！」

王妃さまは王子をだきあげて、おしりの下になにもないことを確認すると、そっとおろしました。

「お母さま、さがしもの？」

ミナが、たずねました。

「あら、ミナ！　いったい、どこにいたの？」

王妃さまは、もっとなにかいいたそうでしたが、今はそれどころではありません。

「エドワードのかんむりがなくなったの」

王妃さまはキルトのベッドカバーをめくり、その下をのぞきこみました。

「あたしもさがします」

テスはかがみこんで、ベッドの下を見ました。

ミナも鏡台の引きだしをあけて、さがしはじめます。

「テス、ありがとう。鏡台の上においたはずなのよ」

と、王妃さま。

「おひるねのために、エドワードを子ども部屋につれていったのだけど、ねたがらなくて。それでもどってきたら、かんむりがなかったの」

「だれかここにいらしたの？」

ミナがたずねました。さっき、ろうかで見たあの人影が気になります。

「いいえ、わたくしだけでした」

王妃さまは、ほつれたかみをなでつけました。

「やっぱりキャビネットにもどしたのかしら……。いいえ、もしかすると一階においてきたのかもしれないわ！　台所でコックのウォルシュさんと話をしたときに……」

そのころには、さわぎを聞きつけた人たちが、王妃さまの部屋の前に集まってきていました。

クマのようにずんぐりむっくりで、黒ぶちめがねをかけているのは、ラルム先生です。週に三日、ミナに理科と歴史、算数を教えています。

ラルム先生のとなりでハイヒールのかかとをコツコツと鳴らしているの

は、ダンスとマナーを教えるパーネル先生。まっ赤な口べににぴったりの赤いスカーフを首にまいています。

王さまと王妃さまがもっとも信頼している相談相手、チェンバレン卿まで、長いローブのすそを引きずりながら、いったいなにごとかとやってきました。

「どうされましたかな?」

チェンバレン卿が、つえによりかかりながら聞きました。

「ダイヤモンド・ベビークラウンが消えてしまったのです」

と、スティーンさんがこたえました。

「ただちにさがしはじめなくてはなりません。おそれいりますが、宝石キャビネットを見てきていただけますか?」

チェンバレン卿はうなずくと、足をひきずりながら執務室にむかいまし

た。つえをつく音が遠くなっていきます。

――チェンバレン卿が、スティーンさんのたのみを聞くなんて！

ミナは、びっくりしました。

スティーンさんは、つぎつぎと指示をだします。

「パーネル先生は台所を、ラルム先生は大広間と応接室をおねがいします」

パーネル先生は長いポニーテールをふって、くるりとまわれ右をしました。ラルム先生はパーネル先生のあとをドタドタと追っていきました。

「テス、おまえは……」

スティーンさんの声が、いちだんときびしくなりました。

「王子さまのお部屋をしっかりさがしてきなさい」

「かしこまりました」

テスは急いで、でていきました。

「わたくしったら、なんてことを……。エドワードがあしたのパーティーで、ダイヤモンド・ベビークラウンをかぶることができなかったらどうしましょう！」

　王妃さまがなげきました。

「何百年ものあいだ、王室の子どもたちはあのかんむりをかぶって、はじめてのたんじょう日をむかえてきたというのに！」

「全力をつくしておさがしします、王妃さま」

　スティーンさんはおじぎをすると、ふんぞりかえって部屋からでていきました。背が高くやせていて、いつも黒いえんび服を着ているスティーンさんを見るたび、ミナはちょっと変わった二本あしのクモを思いうかべてしまいます。

　ミナはお母さまをてつだって、部屋をもう一度すみからすみまでさがしました。いつのまにか部屋に入ってきたジャックスが、ベッドのキルトを引っぱって、ミナをてつだいはじめました。そんなジャックスを見て、エドワードはキャッキャとわらい、バラのようなほっぺに、かわいいえくぼができました。

でも王妃さまは、とても悲しそうです。

――ぜったいかんむりを見つけなくちゃ。

ミナは、決心しました。

「お母さま。この子、そわそわしているから、さんぽにいってきます」

そういうと、ミナはジャックスの首輪を引っぱって、リードをとりに部屋にもどりました。

ミナはテスに話したいことが山ほどありました。お母さまの部屋からでてきたあの人影のことが、頭からはなれません。

——あれは、いったいだれだったの？

消えたかんむりと関係がある？

ミナは急いでジャックスにリードをつけると、テスをさがしに、小走りでろうかにでました。

そこは、ふきぬけの大階段へつづく長いろうかでした。かべがわにずらりと本だながならび、もういっぽうには金色の手すりがさくのようについていて、一階の玄関ホールをばっちり見わたすことができます。

下を見ると、テスがいました。大広間につながるドアに半分かくれるよ

うにして立っています。

——テスったら、いったいなにしてるの?

まるで、だれかからかくれているようにも見えます。

玄関ホールにある背の高いハト時計が、時間を知らせはじめました。十一時です。鐘が鳴り、ハトがとびだして、大きな声でポッポー、ポッポーと鳴いています。耳をつんざくような大きな音が、城じゅうにひびきわたりました。でも、テスはぴくりともしません。

ジャックスがリードを引っぱるのもかまわず、ミナはもう少し身をのりだしてみました。

玄関ホールには、もうひとりいました。執事のスティーンさんです。どっしりした玄関ドアの近くで、身をかがめています。よく見ると、チェストの上におかれた小さな木製の箱をのぞきこんでいます。

やがて、スティーンさんはその箱のふたをしめ、銀色のかぎをかけました。そして箱をもつと玄関ドアをあけ、急いでいるのか、あわてた感じででていきました。

ミナは、おかしいと思いました。

――スティーンさんは、どうしてかんむりをさがそうとしないの？

あの小さな木の箱をもって、いったいどこへいくつもり？

SUSPECT??
容疑者メモ
名前：
スティーンさん
職業：
ペブリル城の執事
memo：
小さな木の箱をもって、
どこかへいこうとしている……。

第3章 プラムチェスターの町へ

大広間のドアにかくれて玄関ホールをうかがっていたテスは、黒いスカートのすそをひるがえし、かくれていた場所からとびだしました。

玄関ドアはしまっていましたが、テスはそっとおしあけました。スティーンさんが城のしきちの入り口にある金色の門にむかって、長い石だたみの道を歩いていくのが見えます。

だれかが階段をおりてくる音がして、テスはふりむきました。ジャックスをつれたミナでした。

「見(み)てた？　スティーンさん、箱(はこ)をもってでかけちゃったよ」

「かんむりがなくなったっていうのに、いったいどこへいくんだろう？」

ミナは、ぐっとおしころした声(こえ)でいいました。

「……ねえ、テス。お母(かあ)さまはかんむりを、ほんとになくしたんだと思(おも)う？

もしかして……だれかにぬすまれたってことはないかな？」

「それが……じつはさっきね……」

テスは、少(すこ)したためらいながらいいました。

「あたし、スティーンさんがあの箱(はこ)になにか入(い)れたのを見(み)たの。なんだか
こそこそしてた。かんむりがぬすまれたかはわからないけど、スティーン
さんがなにをするつもりなのか、追(お)いかけてたしかめなくちゃ」

ミナはがっかりした顔(かお)をしました。

「わたしもいきたいけど、このかっこうじゃあばればれだよね。プリンセ

スは町を走りまわってはいけないんだって。ほんと、つまんない！」

「ウォン！」

じっとしていることにあきたジャックスが、リードを引っぱりました。

テスがパッと顔をかがやかせます。

「そうだ、いいこと思いついた。いっしょにきて！」

ふたりはジャックスをつれて大広間を横切ると、台所や洗たく室、地下室へとつづくせまいろうかにでました。

台所から声が聞こえてきます。テスはミナをふりかえると、くちびるにひとさし指をあて、息をとめたまま台所のドアの前をぬき足さし足で通りました。

——ジャックスがほえませんように。

わずかにあいたドアから、パーネル先生とウォルシュさんのすがたがちらりと見えます。ウォルシュさんは、テーブルをごしごしみがいています。

「まちがいないですってば、先生！　ちっちゃな王子さまのかんむりは、ここにはありませんよ！　もう、いいでしょうが。王さまたちのランチに、サンドイッチをつくらなきゃならないし、このケーキだって、そろそろオーブンに入れちまいたいんだけどね」

そういうと、ウォルシュさんは生地を入れたケーキ型をもちあげました。

「わたくしはただ……かんむりがなくなる前に、王妃さまがこちらにいらしたとおっしゃるから、お聞きしただけですわ」

パーネル先生は頭をつんとふると、ウォルシュさんをバカにするような態度をとりました。

「けれど、あなたがそこまでいうのなら、これ以上お時間はとりませんことよ」

「だから、まちがいないっていってるだろ。あたしが食料庫にさとうをとりにいってるあいだに、あんたがあちこちかぎまわる必要なんてなかったんだ。あんた、ここらへんのものに、さわってないだろうね？」

ウォルシュさんは、ぴしゃりといいかえしました。


テスとミナとジャックスは、ろうかのはしにあるテスの部屋に、ぎりぎりセーフでとびこみました。ミナがそっとドアをしめると同時に、パーネル先生が、ろうかをコツコツと歩いていく音が聞こえてきました。

「あー、ドキドキした！　さて、と。ミナは、この古いマントとボンネットを使うといいよ」

テスは、部屋のすみの洋服だんすから、古着を引っぱりだしていいまし

た。

「これを上から着たら、プリンセスとは思われないでしょ？」

ミナはパーティードレスの上からマントをはおると、ボンネットのひもをあごの下でむすびました。マントもボンネットも色あせていて、ところどころほころんでいます。おかげで、ミナはすっかりみすぼらしくなりました。

テスは別のマントをはおると、部屋のドアをちょっとだけあけました。

「おいで、ジャックス！　ようやくおさんぽができるよ」

ふたりはろうかをこっそり通って、うら口から外へでました。馬小屋がならぶ中庭を走りぬけると、そこは、みずうみにつづく小道です。テスは、ちらりとふりかえりました。白い石づくりの城が、おひさまの光をあびてかがやいています。

かどをまがると、みずうみが目にとびこんできました。みずうみはひょうたんの形をしていて、はばがせまくなったまんなかに、木の橋がかかっています。いたずらな風が空で小さな雲を追いかけたかと思うと、水面にさざなみを立てていきます。テスとミナは、いつかここでボートにのりたいと思っていました。でも、ボートはいつもボート小屋にしまわれていて、しっかりかぎがかかっているのです。

テスはまわりをすばやく確認してから、橋をわたりました。ミナとジャックスもつづきます。

橋をわたるとしげみがあり、そのしげみのむこうがわに、城のしきちとプラムチェスターの町をへだてる黒い鉄のさくがあります。前に、しげみにからまったジャックスを助けたとき、テスはぐうぜん、さくが一本ゆるんでいることに気づきました。それ以来、テスとミナはそのさくをはずし

て、こっそり城からぬけだすようになったのです。

テスは、さくに手をはわせました。

――ゆるんでたのは、どこだったっけ……。あった！

一か所、さくがななめにかたむいています。テスはそれをはずすと、

「先にいって」と、ミナにうなずきました。

ミナはすきまからジャックスをおしだすと、自分も体をよじってでました。テスもすぐあとにつづきます。そこは、しずかな小道でした。この小道をぬけると、広いペブリル通りです。

「あ、あそこ！」

テスがいいました。遠くに、スティーンさんのひょろりとしたうしろすがたが見えます。

「ハーフペニー広場にいくんじゃない？」

荷馬車が通ったので、いっしゅん、視界がさえぎられました。テスとミナは道をわたると、ならんだ店の前を走りました。そして、にぎやかな市場の入り口で立ちどまりました。ここはプラムチェスターの商売人たちが品物を売りにやってくる、ハーフペニー広場です。

「どこにいったのかな？」

テスが、きょろきょろしました。

「どこにもいないね」

「あ、見て！　エメラルド横丁に入ってく」

ミナは、細い横道を指さしました。

「宝石店にいくつもりなのかな」

テスは心臓がドキドキしてきました。

「もし、あの箱のなかにかんむりが入ってるとしたら、売るつもりなのかもしれない。急がなくちゃ。見うしなったら大変だよ」

ふたりは、果物を売っている屋台をひょいとよけ、キャベツを荷馬車からおろしていたおじさんにどなられながら、通りをいきおいよく走りました。そして、かどでいったん立ちどまると、スティーンさんが入っていった横道をのぞきこみました。


エメラルド横丁は、四軒の宝石店がならんだせまい通りです。スティーンさんは、一番はしにある【キナー宝石店】にすがたを消しました。テスとミナは店のまどにかけよると、なかをこっそりのぞきました。

店のなかには、金時計や真珠のネックレス、ダイヤモンドの指輪などがならんだガラスのショーケースがいくつもありました。スティーンさんは、

まるいめがねをかけた小がらな店主としばらく話をしてから、外にでてきました。テスとミナは、あわてて店のかげにかくれました。

「ジャックスをつれて、スティーンさんのあとをつけて。あたしはお店に入って、スティーンさんがかんむりを売ったかどうか聞いてくる」

テスがささやくと、ミナがうなずきました。

「気をつけてね！」

テスは、スティーンさんがとなりの店に入っていくのを確認すると、大きく深呼吸してから、【キナー宝石店】に入っていきました。店のなかはうす暗く、宝石がきらきらかがやいて見えます。なかでもごうかなルビーのネックレスは、城の宝石キャビネットにあるものと同じくらい高級そうです。

「なにかおさがしですかな、おじょうさん？」

と、店の主人が声をかけてきました。こんな小娘がいったいなんの用だ、といわんばかりに、ひたいにしわをよせています。

テスは、自分がそまつなマントを着てメイド帽をかぶっていることを、とつぜん思いだしました。宝石を買えるお金をもっていないことは、まるわかりです。

「あ、あの……じつはその……もし、よろしければ、なんですけど……きょう、新しい商品が入ったか教えていただけますか？」

「新しい商品？」

店の主人は、ひたいにますますしわをよせました。

「はい、新しい宝石とか」

テスは、顔がまっ赤になるのがわかりました。

「あたし、かんむりをさがしているんです。小さいかんむりを」

「うちでは、かんむりなんて売っていないが」

店の主人は、テスのうしろに目をやりました。

「いったい、なにごとだい？　あんたたち、なにをたくらんでいるんだ？」

テスは、くるりとふりかえりました。ミナが、まどの外から必死になって手をふっています。

「あ、あの……あたし、いかなくっちゃ！」

口ごもりながらそういうと、テスは店の外にとびだしました。

まちかまえていたミナが、テスのうでをつかんで一気にまくしたてました。

「スティーンさんが、となりの店でなにをしてたと思う？　まどがあいてたから聞こえたの。スティーンさんはね、絵を見せて、『これにそっくりのかんむりをつくれないか』って聞いてたんだよ。あの箱のなかには、消えたかんむりの絵と、たくさんのお金が入ってたの」

「ダイヤモンド・ベビークラウンを新しく注文してたってこと？」

「そうなの！　エドワードのために、もうひとつつくろうとしてくれてるんだよ。それも、あしたのパーティーにまにあうようにね」

ミナは、ため息をつきました。ジャックスがクーンと鳴いて、ミナの手をなめます。

「でもね、宝石店のおばさんの話だと、絵のとおりにかんむりをつくるには何週間もかかるんだって。それに、新しいかんむりは本物ほどいい出来にはならないって」

ミナは、なみだをこらえながらつづけました。

「ねえ、テス！　かんむりが見つからなかったら、ほんとにどうしよう？　ダイヤモンド・ベビークラウンなしでパーティーにでるなんて、エドワードがかわいそう。だってそんなこと、今までなかったんだもの」

テスは、ぎゅっとくちびるをかみました。どうしたら、ミナの力になれるでしょうか。

「とにかく、お城にもどったら、もう一度さがそう。もし、かんむりがだれかにぬすまれたんだとしたら、はんにんは、きっと手がかりをのこしてるはず。あきらめちゃだめ。あきらめることなんてできないでしょ！」

テスにはげまされて、ミナに笑顔がもどってきました。

「そうだね！　まだ、まるっと一日あるよね」

そういうと、ミナは小指を立てました。

「ダブル・マジック？」

それを見て、テスはにっこりしました。

これは、テスとミナが、なにか大切なことをふたりいっしょにやるときの合いことばです。よく入れかわるふたりのことを、コックのウォルシュさんが、ダブル・マジックとよんだことがありました。それ以来、ふたりはこれを、ないしょの合いことばにしたのです。

テスは自分の小指を、ミナの小指にからめました。

「ダブル・マジック！」

第4章

【ニードルニードル】

スティーンさんが四軒目の宝石店に入っていくのを、テスとミナは「どうかこっちをふりむきませんように！」と思いながら見ていました。あまりうまくかくれられていませんし、スティーンさんに見つかったら、こまったことになるのはまちがいないからです。

「だれかをこっそり見はるのって、思ったよりドキドキするね」

テスがミナにささやきました。

数分後、スティーンさんは店からでてきました。そして、木の箱をかかえたまます。

ま、エメラルド横丁からはなれていきました。しんこくそうな顔をしてい

「うまくいかなかったみたいだね」

と、ミナがささやきました。

「うん。きっと、どのお店でも、本物そっくりのかんむりはつくれないっていわれたんだよ」

と、テスがこたえました。

ミナは、ボンネットのひもを指にからめながらいいました。

「そろそろ、お城に帰らないと。お昼ごはんの時間になったら、わたしたちがいないことに気づかれちゃう」

テスは、すばやく考えました。

「お城に帰る前に、うちの店によらない？　ミナのパーティードレスの

レースを買って帰ろうよ」

ふたりはジャックスをつれ、エメラルド横丁をでて、ボドキン通りにむかいました。テスは、このまがりくねったせまい通りが大すきです。ならんでいる店や家はもちろん、石だたみの石のひとつひとつまで、なんだって知っています。

テスは、パン屋のビビーさんに手をふりました。ビビーさんは、まるいレーズンパンにさとうごろもをかけています。ペットショップのまどをふいているクラックトンさんには、笑顔であいさつしました。テスは、どの店の主人ともなかよしでしたが、金物屋のヘッドンさんだけは、にがてです。ヘッドンさんは、だれに対してもあいそがわるいのです。

テスのお父さんとお母さんの店、【ニードルニードル】が見えてきました。ショーウインドーは赤と金色のリボンにふちどられ、まんなかには、すそに白いレースがついた水色のシルクのドレスがかざってあります。テスは、お母さんに会えると思うとうれしくなりました。

ふたりがドアをあけると、ベルがガランガランと鳴り、針仕事をしていたテスのお母さん、ウールヘッドさんが顔をあげました。

「あら、おかえり！　きょう、ふたりに会えるなんて思ってもいなかったわ！」

テスのお母さんは、にっこりしました。テスのお父さんは、しょっちゅう毛糸や生地を買いにでかけているので、店で仕事をするのはいつもお母さんです。

「ようこそ、ミナ姫さま」

そういいながら、テスのお母さんはミナに顔を近づけました。

「きょうは、マントまでおそろいね。でも、これはプリンセスにふさわしいマントではありませんね？」

「じつはテスにかしてもらったんです」

ミナは、てれわらいをしました。

テスは、お母さんにハグしました。

「あたしたち、ミナのパーティードレスにつけるかざりを買いにきたの。レースとかビーズとか」

テスのお母さんは、ふたりに会えたのがうれしくて、はりきっています。

「まずはワンちゃんをうら庭につれていったら？　なにか食べさせてやりましょう」

ジャックスはうら庭で、のこりもののソーセージをもらいました。

テスとミナは、星形のジンジャークッキーとつめたいレモネードで、おやつにしました。

テスのお母さんは、消えたかんむりの話を、しんけんに聞いてくれました。

「そんなわけで、王妃さまは、かんむりはご自分がなくしたと思っていらっしゃるの」

と、テスが説明しました。

「でも、あたしたち、王妃さまのお部屋からでてくる人影を見たし、もしかしたら、かんむりはだれかにぬすまれたんじゃないか、って思ってる。だって、あのかんむり、とっても高そうなんだもん」

「なんてこと。よりによって、王妃さまからぬすみをはたらく人がいるなんて……」

テスのお母さんは、やれやれと首をふりました。

「だれかをうたがうなんて、いいことではないけれど、魔がさすということもあるからね。母さんは、もしだれかがぬすんだのなら、思いもよらない人のような気がするわ」

「とにかく、あしたのパーティーまでに、ぜったい見つけないと。エドワードにも、はじめてのたんじょう日パーティーで、ダイヤモンド・ベビーク

ラウンをかぶらせてあげたいんです！」

と、ミナがいいました。

「小さな姫さまがかぶっていらっしゃったのを、おぼえていますよ」

と、テスのお母さんがいいました。

「とってもかわいらしかった。でも姫さまったら、わたしがテスをつれてドレスの仮ぬいにうかがったとき、あのかんむりを、テスにもかぶらせようとしたんですよ」

ミナとテスは顔を見あわせて、にっこりしました。

テスのお母さんは、巻きじゃくと針箱をとりだしました。

「さてと、このドレスをかんぺきにするには、どうしたらいいかしらね」

ミナはドレスをぬいでテスのお母さんにわたすと、マントにくるまりました。

お母さんはとても仕事がはやかったので、あっというまに、ミナのラベンダー色のドレスのすそにはぐるりとレースがぬいつけられ、むなもとには、かわいらしい花の形のビーズがちりばめられました。

「ありがとうございます、ウールヘッドさん」

ミナは、テスのお母さんにハグしておれいをいうと、ドレスの上からマントをはおりました。

「どういたしまして、ミナ姫さま！」

そういうと、お母さんはのこりのレースとビーズをパパッとつつんで、

リボンをかけてくれました。

「ねんのために、のこりのレースとビーズをもっていきなさい。さあ、通りをわたるときは、馬車に気をつけるんですよ」

テスは、うら庭からジャックスをつれてきました。ふたりはテスのお母さんにさよならをいうと、ボドキン通りをぬけて、ハーフペニー広場をとおり、城のゆるんださくのところへ急いでもどりました。

「ねえ、ミナ。王妃さまのお部屋からでていった人影がはんにんだとすると、コニーじゃないことはたしかだね。あのとき、あたしたちのすぐそばにいたもの」

テスが、考え考えいいました。

「ウォルシュさんも、ちがうんじゃない？」

ミナは、テスが入りやすいように、さくをもちあげながらいいました。

「わたしたちがうら階段をあがってたとき、ウォルシュさんは台所にいたよね。わたしたちより先に、もうひとつの階段からあがるのはむりでしょ？」

「ほんとだ！」

テスの顔がパッと明るくなりました。

「もちろん、ウォルシュさんがそんなことをする人じゃないってことは、わかりきってるけど」

しげみを通りぬけると、城の庭園です。ふたりの前にはみずうみが広がり、水面には高くそびえる白い城がきらきらとうつっています。

「わたしたち……手がかりをさがすだけじゃなくて、お城のなかであやしい行動をしてる人がいないか、注意してなくちゃね」

と、ミナがいいました。

「そうだね。今夜ねる前に、ミナの部屋で、わかったことについていろいろ話しあおうよ」

テスがそういいながら、ジャックスのリードをはなしたので、ジャックスはみずうみのなかへバシャバシャと走っていきました。クワックワッ。アヒルたちはめいわくそうです。

「もう、ジャックスったら！」

思わずミナは、わらいました。


テスとミナが、城のうら口からこっそり入っていくと、台所から昼食のじゅんびをするウォルシュさんの鼻歌が聞こえてきました。馬小屋がならぶ中庭には井戸があり、ふたりはここで、ジャックスの体をふきました。

城のなかに入るとジャックスは、洗たく室の横にあるお気にいりのしきもの上にねそべりました。

「そろそろ部屋にもどるね。お母さまが、わたしをさがしているかもしれないから」

ミナはそういうと、ビーズとレースの入ったつつみを、わきにかかえました。

「またあとでね！」

テスが台所にかけこむと、ちょうどウォルシュさんが、王子のバースデーケーキをオーブンからとりだしたところでした。

「うわー、おいしそうなにおい！」

ウォルシュさんは、ふっくら黄金色にやきあがったケーキをテーブルの上におきました。

「ああ、いいにおいだろ？」

そうはいったものの、ウォルシュさんはケーキを見つめて、大きなためいきをつきました。

「どうかしたの？」

テスが、おどろいて聞きました。

「あした、バースデーケーキを食べる気になる人が、いるんだろうかねえ」

ウォルシュさんは、そういいながら、エプロンで手をふきました。

「ちっちゃな王子さまのかんむりが消えちまって、お城はどこも、上を下への大さわぎさ。だれかにぬすまれたっていううわさまで流れてきてる。もし、そんなことをするやつがいたら、あたしゃ、このおたまでたたきのめしてやらなくっちゃ気がおさまらないよ！」

おたまをにぎりしめたウォルシュさんを見て、テスは、これじゃあどんなわるいやつだって、とっととにげだすんじゃないの、と思いました。

ウォルシュさんをてつだって、ボウルとスプーンをあらうと、テスは羽はたきをもちました。これならだれかに見られても、ああ、テスは仕事をしているんだなと思ってもらえます。そうじをするふりをしながら、消えたかんむりの手がかりをさがすつもりでした。

──ミナのために、あたしががんばらないと。

テスは、いきおいよくうら階段をかけあがっていきました。

第5章

手がかりをさがして

ミナは考えごとをしながら大階段をのぼっていました。お母さまの部屋から走りさった人影がどんな感じだったか、思いだそうとしていたのです。

――背は高かった？

大またで歩いてたっけ？

それとも、小走りだった？

でも、どんなに考えても、かどをまがったときにマントがなびいていたことしか思いだせません。

――あの人影がほんとうにはんにんだったのかはわからない。

でも、はんにんじゃないなら、どうしてこそこそ走っていったの？

部屋についたミナは、パーティードレスをぬぐと、朝テスにかしていたみどり色のサテンのドレスに着がえました。そして、かみをリボンでむすんでから、お母さまの部屋のドアをノックしました。返事がないので、こんどはエドワードの部屋をのぞくと、王妃さまはベビーベッドの横で、ねむっている王子を見ていました。ミナが入っていっても、こちらをむきもしません。

「お母さま、エドワードのかんむりは見つかって？」

と、ミナが声をかけました。

でも、王妃さまはまだふりむきません。そこでミナは、もう一度声をかけました。

「お母さま？　どうかなさったの？」

ハッとしたようにふりむいた王妃さまは、とても悲しそうな目をしていました。

「あら、ミナ！　なんでもないわ！　少し、エドワードを見ていてくれる？　お父さまとチェンバレン卿と、お話をしなくてはなりませんから」

「はい、わかりました」

ミナは、エドワードのベッドの横にすわりました。

お母さまが部屋をでていくとすぐ、エドワードは目をさまし、ぽちゃぽちゃした小さな足を動かしました。そして、はらばいになると、ミナににっこりしました。

「そこからでたいのね？」

ミナは弟をベッドからだきあげると、木でできたおもちゃの馬をもたせてやりました。

「おねえちゃんといっしょに、消えたかんむりの手がかりをさがすっていうのはどう？」

エドワードは「ダッ、ダー」というと、おもちゃの馬の耳をがじがじとかみました。

「よし、きまりね！」

ミナはエドワードをだいて、お母さまの部屋にいきました。部屋に入ると、大きなベッドのまんなかにエドワードをそっとおろします。

——さて、どこからさがそうかな？

たしかお母さまは、鏡台の上にかんむりをおいたといってたはず……。

うん、鏡台からにしよう。

お母さまの香水、ヘアーブラシ、そしておしろい。ミナはひとつひとつしらべましたが、おかしなものも、場ちがいなものも見当たりません。はんにんが、うっかり落としものをしているかもしれないので、ねんのためにベッドの下も見ました。

――なんにもないなぁ。

ため息をつくと、エドワードがキャッキャとわらい、もっていた馬のおもちゃをゆかになげました。ミナがそれをひろいあげ、「だめでしょ」としかめ面をしてみせたので、弟はますますわらいました。

――つぎは、どうしよう。

かんむりがなくなったとき、城のみんながどこにいたかがわかれば……。

そうだ、今朝お城のなかにいた人たちに、聞いてみるっていう手があるね！

さっそくミナは、エドワードをだきあげると、まずはラルム先生をたずねてみることにしました。小走りで大階段に通じるろうかにでます。そして、お城の一番上の階まであがると、いつも勉強をしている部屋にいきました。

ラルム先生がつくえについて、大きな革表紙の本に、なにやら書きこんでいます。先生は黒ぶちめがねのすきまから、上目づかいにミナを見ました。

「これはこれは、姫さま。きょうの算数の授業は、弟ぎみもいっしょですかな?」

先生はそういうと、クスリとわらいました。どうやらジョークをいったつもりのようです。ラルム先生のジョークは、いつもぜんぜんおもしろくありません。

「いえ、あの……ちょっと、お聞きしたいことがあって」

「ほう。どんなことですかな？」

ラルム先生が、たずねました。

ミナは、ためらいました。とつぜんやってきて、あなたはあのときどこにいましたか、と聞くなんて変といえば変ですし、とても失礼な質問に思えます。でも、どうしても知る必要がありました。

「えっと、今朝、かんむりがなくなったとき、先生はどこにいらっしゃいましたか？」

ミナは、自分の顔がまっ赤になるのがわかりました。

「その……。なにかかんむりを見つけるヒントを、見たかたはいないかしらと思って……」

「これは、きょうみぶかい質問ですな！」

ラルム先生は、めがねをぐいっとおしあげました。

「だが残念ながら、わたしはなにも見ておらんのです。この部屋で百科事典をめくっておったところ、大きな声が聞こえて部屋のドアをあけたら、同じようにパーネル先生も、部屋から顔をのぞかせていらっしゃいましたな。そこで、なにごとかと、いっしょにろうかを歩いていったわけです」

エドワードがもぞもぞと動きはじめたので、ミナはしっかりかかえなおしました。

「ろうかでだれかを見かけませんでした？」

「まったく、だれも！」

ラルム先生は、まゆをひそめました。

「ところで、この件にかんしては、おとなにまかせておくべきですぞ、ミナ姫さま。人にあれこれ質問してまわるなど、姫さまにはまったくもってふさわしくない行いですからな！」

ミナは、ため息をぐっとこらえました。姫としてふさわしいことしかできないのなら、弟のバースデーケーキをつくったなんて、とんでもないことです。あんなに楽しかったのに！　おとながいう『姫にふさわしいこと』は、楽しかったためしがありません。

でも、今それをラルム先生にいっても、しかたありません。

「変なことを聞いてごめんなさい、ラルム先生！」

ミナは、できるだけ明るくいいました。

「姫さまに、悪気はなかったことはわかっております」

ラルム先生はそういうと、鼻を鳴らしました。

「とにかくきょうは、異常事態ですからな。かんむりが消えたあと、スティーンの命令で、番兵たちはお城のしきちからでる人全員の持ち物検査までははじめたんですぞ。おかげで、さっきさんぽにでたとき、わたしまで門のところでポケットをひっくりかえすはめになったわけです」

ラルム先生がムッとしているのを見て、ミナはわらいをこらえました。

スティーンさんが、そんな命令をだしてくれたなんて、うれしい発見です。これで、はんにんがだれであれ、かんむりをこっそり城の外にもちだすことはむずかしいでしょう。テスとミナ以外で、さくのところのひみつのぬけ道を知っている人はいないはずですから。

「えっと、そろそろ、エドワードがおなかをすかせる時間なので、失礼し

ます」

ミナは、先生にそういいました。

ラルム先生は立ちあがると、おじぎをしました。ベストの前の部分には、大きなつぎあてがあり、シャツはすりきれています。

エドワードをかかえ、急いで階段をおりながら、ミナはふと思いました。

――ラルム先生は、お金にこまっているのかな？

先生は、しばらく新しい服を買っていないようです。もし、のどから手がでるほどお金がほしい人なら、とんでもないことだってするのかもしれません……。

ミナは、ぶんぶんと頭をふりました。自分の先生をうたがうなんて、やってはいけないことです。ラルム先生は、ちょっと変わったところもありますが、とても親切な人なのです。

大階段の上のろうかにさしかかると、スティーンさんとパーネル先生がゆかについた黒いあとをしらべながら、なにやら話していました。ミナはエドワードに本だなを見せるふりをしながら、ろうかをぶらぶらして、ふたりの会話に聞き耳を立てました。

「庭師のだれかが、つけたんじゃありませんこと？どろだらけのくつのあとに見えますわ」

と、パーネル先生。

「庭師がここまであがってくることはありません。それに、わたしはコニーに午前中、このろうかをそうじするよう、いっておいたのです」

スティーンさんが、ぴしゃりといいかえします。

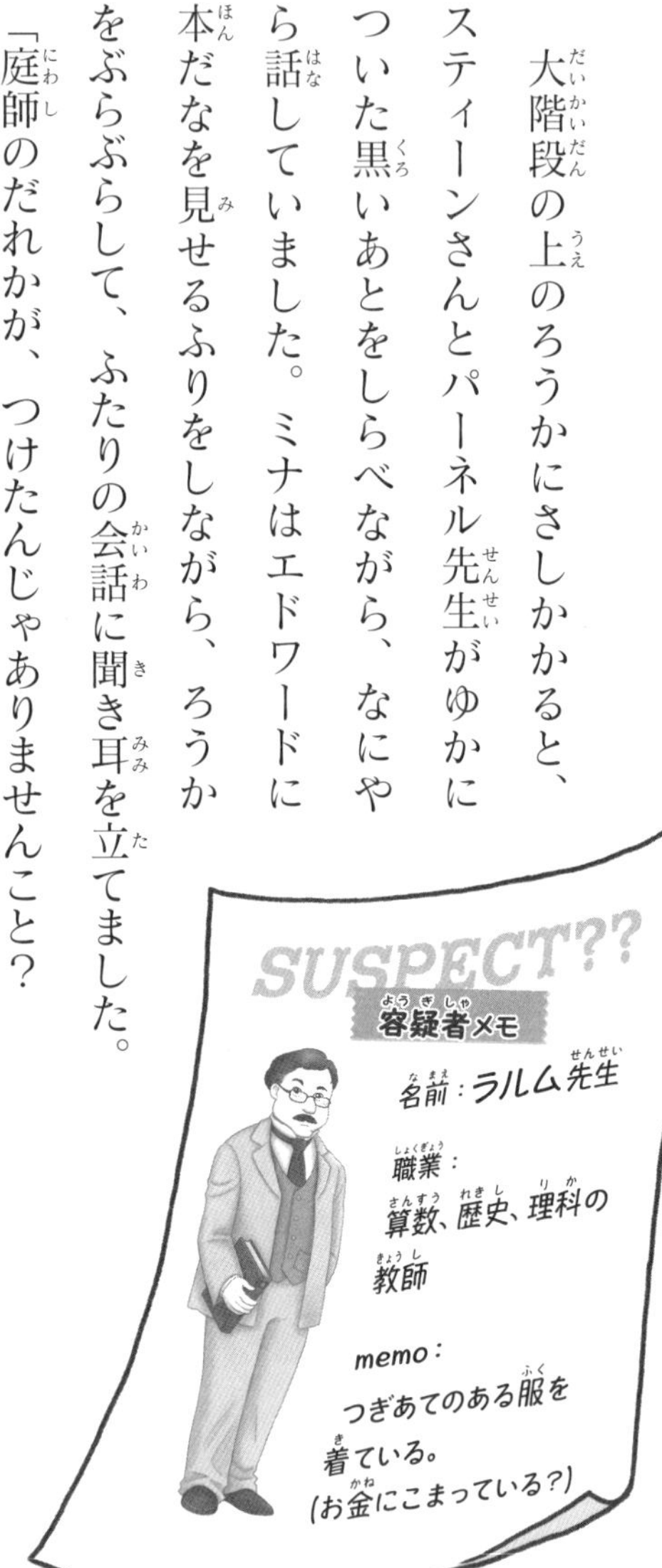

「だれがよごしたにせよ、ここを通ってまもないはずですぞ」

「よく見ると、この足あとは階段にむかっていますわ。にげだそうとしているように見えませんこと？　もしかしたら、かんむりをぬすんだはんにんの手がかりかもしれませんわよ」

パーネル先生が、いいました。

「そうだといいですな」

スティーンさんと先生は、いっしょに下におりていきました。

ミナは立ちどまって、どろだらけのくつあとをじっと見ました。大きな足の持ち主です。きっと、男の人のものでしょう。パーネル先生が正しければ、はんにんの足あとということになります。これは重要な手がかりにちがいありません！

だれにも見られていないことをかくにんすると、ミナはエドワードをゆ

かにおろし、自分のかみをむすんでいたリボンをほどきました。そして、一番くっきりのこっているくつあとのとなりにリボンをぴったりならべると、長さをあわせてリボンに指でおり目をつけました。

ミナは、エドワードをだきあげました。

「心配しなくていいよ」

ミナは弟にささやきました。

「わたしとテスが、このなぞをといて、かんむりをとりもどすからね」

暗やみで大事件

昼ごはんのあとも城のあちこちではたきをかけていたテスは、この日の夕方ほど、みんなが暗くふさぎこんでいるのを見たことはありませんでした。

ほこりをはらいながら部屋じゅうをチェックしてまわりましたが、消えたかんむりはどこにもありません。見つけたものといったら、大階段の上のろうかにのこされた、どろだらけのくつあとだけです。その場にだれもいなくなると、テスは台所からもってきた木のスプーンでくつあとの長さをはかり、えんぴつでスプーンの柄にしるしをつけました。きっとなにかの役に立つでしょう。

夕ごはんがおわると、テスはミナの部屋をこっそりたずね、そっとドアをノックしました。ミナは金色のかんむりのししゅうがついたラベンダー色のガウンを着て、まどぎわのソファにすわっていました。まどからは月明かりがさしこみ、サイドテーブルにはランタンがともっています。

ミナのベッドにはジャックスがねそべっています。テスが入っていくと、ねむたそうにしっぽをパタパタと動かしましたが、目はあけませんでした。

となりにテスがすわると、ミナは話しはじめました。

「きょう起きたことを、おさらいしてたんだけど、考えれば考えるほどわかんなくなっちゃう。かんむりがまだお城のどこかにあるってことは、たしかなんだけどね」

「どうしてそれがわかるの？」

と、テスが聞きました。

「ラルム先生に聞いたの。かんむりがなくなったあとすぐに、番兵たちが門を通る人の持ち物検査をはじめたんだって。だから、ここからこっそりもちだすのはむずかしいと思う」

と、ミナが説明しました。

「なるほどね。ほかに今わかってるのは……王妃さまの部屋から急いででていった人は、ウォルシュさんとコニーじゃないってこと」

テスが、一、二と指で数えながらいいました。

「コニーは直前にあたしたちとすれちがったし、ウォルシュさんが台所からあがってくるのは時間的にむり。ほかに、あのときお城にいたのは、ミナとあたし、王さまたちと、ラルム先生とパーネル先生と、スティーンさんか」

「そして、チェンバレン卿も」

と、ミナがつけくわえました。

「チェンバレン卿は、おじいさまが亡くなる前からお城の相談役だし、かんむりをぬすむなんてとても思えない。でも、テスのお母さんがいってたでしょ？　魔がさすこともあるって」

「うーん、おとなのきもちって、よくわかんないもんね」

と、テスがまゆをひそめました。

「とにかく、お母さまの部屋には、なにも手がかりがなかったの。でも、ろうかにのこされたどろだらけのくつあとの大きさは、はかってきたよ」

そういうと、ミナはポケットからリボンをとりだしました。

「ものさしをもってなかったから、リボンではかってきた」

それを聞いて、テスは、にっこりわらいました。

「わたしもはかったよ。これでね！」

エプロンのポケットから木のスプーンをとりだして、えんぴつでつけたしるしを見せます。

「ふたりで同じことしてたんだ！　ね、テスはだれのくつあとだと思う？」

「うーん……こんなに大きなくつをはいてるのは、ラルム先生ぐらいしか思いつかないよ。あしたになったら、先生のくつの大きさをはかってみようか？」

「でも、どうやって？　そうだ！　へんそうすれば、やりやすくなるかも」

そういってミナは、いきおいよく立ちあがると目をかがやかせました。そして、かみをねじっておだんごにすると、麦わらぼうしをかぶってそのなかにたくしこみました。化粧道具を引っぱりだして、鼻の下に太くて黒いひげを書きこむと、テスのほうをふりかえります。

「どう？」

「なにそれ！　いったいだれにへんそうしたつもり？」

と、テスがわらいました。

ミナは、にやりとしました。

「つぎはテスの番ね。わたしがいいっていうまで、見ちゃだめだよ」

テスは、かがみに背中をむけてすわりました。ミナがなにをしているのか、テスにはまったくわかりません。でも、ふざけることが大すきなミナのことです。できるだけおもしろおかしくしているに、きまっています。

ミナはテスの顔に化粧をすると、首にスカーフをまきました。それから、少しうしろにさがって、できばえをかくにんし、ニヤニヤしはじめました。

「かがみを見てもいいよ！」

テスはかがみをふりかえり、息をのみました。かみは高いポニーテールにむすばれ、首のまわりには、まっ赤な口べににぴったりの赤いスカーフがまいてあります。

「パーネル先生だ！　あたしを、パーネル先生そっくりにしたんだね！」

ミナは、わらいがとまりません。

「さあ、先生のえらそうな感じをまねしなくっちゃ！　こんな感じで」

そういうと、ミナはあごをつんとつきだして、先生のものまねをはじめました。

「では姫さま、ワルツのステップをやってごらんあそばせ。つま先をのばして、のばして！　それじゃあ、ペンギンにしか見えませんことよ！」

テスも同じようにあごをつきだし、ワルツのステップをふみながら部屋じゅうをくるくるまわりました。一階では、ハト時計がポッポー、ポッポーと時を知らせています。テスはベッドの支柱につかまって、まわるのをやめました。

「十時！　こんなにおそくまで起きてるのがばれたら、ウォルシュさんにこっぴどくしかられちゃうよ」
ミナはハンカチをとりだすと、化粧を落とせるようにテスにわたしてあげ

ました。自分のにせひげも、ゴシゴシこすってふきました。

「あしたの朝はやく、台所で会える？　へんそうは……まあ、なしでいいよね」

ミナはクスクスわらいながらも、ちょっぴり残念そうにいいました。

テスはうなずきました。

「ラルム先生のくつの大きさをはかって、どろだらけかどうかかくにんしよう。あたしはスプーンをもっていくから、ミナもリボンをわすれずにね」

ちょうどジャックスが、大きなあくびをしてベッドからとびおり、ドアを引っかきはじめました。

「おいで、ジャックス。いっしょに下にいこうね」

郵便はがき

料金受取人払郵便

芝局承認

4063

差出有効期限
平成31年1月
6日まで
(切手は不要です)

105-8790

216

東京都港区虎ノ門2-2-5
共同通信会館9F

株式会社 文響社
「名探偵テスとミナ」係 行

フリガナ お名前	学年　　年生（　　才） 性別　□男　□女

ご住所 〒
都道府県　　区町市郡

この本を購入された書店名

★ いただいたご住所あてに新刊のご案内をお送りしてもよいですか。（ はい ・ いいえ ）

★ いただいたおたよりを、本やホームページで紹介してもよいですか。

（ 実名で可 ・ 匿名で可 ＿＿＿＿＿＿ ・ 不可 ）

※アンケートは、よりよい出版物・企画の参考にさせていただきます。ご協力よろしくおねがいいたします。

★ この本をどこで知りましたか？

① 書店店頭で見て　② インターネットやSNSで見て

③ 広告を見て　④ 知り合いがもっていた

⑤ その他（　　　　　　　　　　）

★ この本をえらんだ理由を教えてください。（複数回答可）

① お話がおもしろそうだったから　② ミステリーがすきだから

③ 表紙がかわいかったから　④ 絵がすきだから　⑤ 店頭で広告を見て

⑥ 人にすすめられて　⑦ その他（　　　　　　　　　　）

★ あなたのすきな本、よく読む本を教えてください。

★「つぎはこんなお話が読みたい！」を教えてください。

★ あなたのすきな色、すきなことを教えてください。

そうっとそうっと、テスはジャックスをつれて暗いろうかを通り、うら階段にむかいました。

ろうかのランタンはとっくに消えていたので、片手をかべにつけてさぐりながら歩いていきます。はしにある小さなまどから月の光が入ってきて、階段をてらしだしています。

「お水飲みたいよね?」

テスは、ジャックスと台所にむかいました。

「まて! いい子ね!」

ジャックスは、おとなしくドアのそばにすわりました。

ランタンをもってくればよかったなと思いながら、テスはぬき足さし足でまっ暗な台所に入っていきました。ジャックスの水飲み用のボウルは、いつも決まったところにおいてあります。明かりがなくても、手さぐりでなんとか見つけられるでしょう。

と、そのとき、テスの足がなにかかたいものにさわり、それがゆかをころがって反対がわのかべにあたったかと思うと、ガチャンと大きな音を立てました。

テスは、びくんとかたまりました。

――ウォルシュさんが起きちゃったらどうしよう！

ジャックスが、クーンとひくい声で鳴きました。

もう一歩前にでると、足がまたなにかにさわりました。テスはかがみこんで、ゆかの上を手でさぐってみました。細くてつるつるしたものがあります。どうやら、スプーンのようです。

おかしい、とテスは思いました。あのウォルシュさんが、落としたスプーンをそのままにしておくはずがありません。

つま先立ちでまどまでいき、よろい戸をあけました。月の光がさっとさしこみ、台所をてらしだします。テスは、思わず息をのみました。

台所は、まるであらしのあとのようでした。

カップやボウル、なべがひっくりかえって、あちこちにころがっていま す。小麦粉が、ゆかやテーブルにぶちまけられています。ミナがあんなに心をこめてつくったバースデーケーキは、ざっくり切られて、まんなかをえぐりとられています。ハーブやスパイスのつぼは、ふたがあいて、なかみがこぼれています。

——こんなことって……。

足のふみ場もない台所を見つめているうちに、テスは腹が立ってきました。どう考えてもこれは、だれかが、わざとやったにちがいありません。

——ミナの大切なケーキをだいなしにするなんて、ゆるせない!

「テス! テレサ・ウールヘッド!」

大きな声におどろいてふりかえると、みどり色のガウンを着たウォルシュさんが入り口に立っていました。手には、ランタンをさげています。

「なんてこったい！　ここであの犬があばれたのかい？」

「ちがうの！　ジャックスはなにもしてない。あたしがきたときにはもう、こんなひどいことになってたの」

テスは、自分がまだパジャマを着ていないことに、ウォルシュさんが気づきませんように、と思っていました。

「なんてこったい！」

ウォルシュさんはそうくりかえすと、いすにドスンとすわりました。

「ネズミが、追いかけっこでもしたんだろうかねえ」

ちらかったスパイス、だめになったケーキ、そして、ゆかにぶちまけられた小麦粉。わけがわかりません。と、そのとき、テスは小麦粉が山になっているところに、小さなまるいあとがいくつかあることに気づきました。

――これはいったい、なんのあと？

しっかり考えなくちゃ。

テスは、ジャックスの耳もとでささやきました。

「ミナをつれてきて！　さあ、おいき！」

おしりを軽くポンとたたくと、ジャックスはろうかを走っていきました。テスはしゃがみこんだまま、小さなまるいあとのひとつにさわってみました。それはまんまるで、テスの指先よりちょっと大きいものでした。

このしるしは、なんとなく重要な気がしました。

でも、どういう意味なのでしょう？

第7章

台所にのこされたなぞ

――なにかあったんだわ。

ベッドのなかで、ドアを引っかく音を聞いたミナは、すぐにピンときました。

とびおきてさっとドアをあけると、ジャックスの濃いチョコレート色の目が、ミナを見あげていました。

「ジャックス！　どうしたの？　テスはどこ？」

ミナはガウンのひもをキュッとしめなおすと、ランタンをもちました。ジャックスはしっぽをふりながら、ろうかを歩くミナのあとをついてきます。うら階段

をおりていくと、だれかの声が聞こえてきました。

――テスったら、部屋にもどるとき、だれかに見つかったのかな……。

テスを助けるいい口実はないか、考えながら台所に入っていったミナは、なかを見たとたん、ぼうぜんとしました。まるで、あらしにおそわれたあとのように、あらゆるものが投げだされています。ボウル、小麦粉、ぐちゃぐちゃのケーキ……。

「エドワードのケーキが！」

ミナはさけぶと、テーブルにかけよりました。

「ひどい！　いったいどうして……」

ウォルシュさんが、片手をむねにあてて、とびあがりました。

「姫さま！　おどろかせないでくださいな！　これは、あたしがきのうつくったケーキですよ。姫さまがつくった本物のケーキは、ちゃんとたなにしまってかぎをかけてあります」

そういうと、ウォルシュさんはガウンのポケットからかぎたばをとりだして、すみにあるたなのとびらをあけました。なかには、銀色の皿にのった王子のバースデーケーキが、ちゃんとありました。

「ケーキがだいなしにならなくてよかった！」

ミナは、ほっとしました。

「さすが、ウォルシュさん！　かぎをかけておくなんて、頭いい！」

テスも、思わず笑顔になります。

「ちっちゃな王子さまのバースデーケーキは、とびきり大切なんでね。ねんにはねんを入れてってやつですよ」

たなにもう一度かぎをかけながら、ウォルシュさんはきびしい顔をしました。

「でも、まさかこんなことが起きるなんて。まったくひどい——ひどいとしかいいようがないよ！　さてと、あたしゃ、外のドアがぜんぶしまっているか見てくるとしよう。わるいやつが、どうやって入りこんだんだか、わかるかもしれないしね」

ウォルシュさんがいってしまうとすぐ、テスがこっそりいいました。

「あたし、これは、消えたかんむりとなにか関係があると思う」

「え、どういうこと？」

ミナは、おどろきました。

「だって、考えてみて。お城の台所があらされるなんて、今まで一度もなかったんだよ？　なのに、かんむりが消えたちょうどその日に起きるなんて。関係があるにきまってる！」

テスのことばに、ミナは、まゆをひそめました。

「でも、どんな関係?」

「それは……わからないけど。ただ、もし外のドアにぜんぶかぎがかかっていたら、台所をあらした人は、お城のなかにいるってことになるよ」

テスは、ゆかにぶちまけられた小麦粉にのこっている、まるいあとを指さしました。

「ここ、おかしなあとがついてるんだ」

ジャックスが小麦粉をペロリとなめて、クーンと鳴きました。ミナはボウルに水を入れて、ジャックスの背中をなでてやりました。

そこへウォルシュさんが、よろよろともどってきました。

「おかしいねえ。玄関もうら口も、ドアにはちゃんとかぎがかかってたよ。ならずものは、いったいどうやって入りこんだっていうんだろ」

——やっぱりそうか……。

テスとミナは、目くばせしました。

「やれやれ、今夜は体じゅうがいたいよ！　なのに、これからここをかたづけなくちゃいけないなんて」

ウォルシュさんが、ため息をつきました。

「あたしたちが、そうじしておく！」

テスが、急いでいいました。

「ウォルシュさんは、もうねてちょうだい」

ウォルシュさんは、びっくりしました。

「おまえさんたちだけで、ここをきれいにするっていうのかい？」

「わたしたちなら、だいじょうぶよ！」

ミナもいいました。

「姫さままで！　そんなことおねがいしちゃって、いいのかねえ……。だけど、あたしゃ、あしたは大仕事がまってるし……。なんせ、パーティーのごちそうを、ぜんぶ用意しないといけないんだから」

ウォルシュさんは、まよっていましたが、とうとううなずきました。

「じゃあ、わるいけど、ふたりにたのもうかね。あんたたちは、ほんとに親切だよ」

ウォルシュさんがいってしまうと、ミナは、ゆかにまかれた小麦粉の上にかがみこみました。

「これ、だれかが木のスプーンを引っくりかえして、小麦粉のなかにつきさしたみたいじゃない？」

さっそくテスがひざをついて、木のスプーンの柄をつっこんでみました。たしかに、まるいあとがのこりました。でも、小さすぎます。

「うーん、大きさがちがうかあ」

ミナは、ため息をつきました。

「わけわかんない！　とにかく、そうじをはじめたほうがよさそうだね」

ふたりは、落ちているなべやカップをかたづけはじめました。ミナは、めちゃくちゃになったケーキを集めて、ほうきでゆかをはきました。

テスは、ちらばったハーブやスパイスをかきあつめました。

ローズマリーとタイムとサフランのつぼは、ほとんどからっぽです。

「あーあ、もったいない！」

テスはミナに、からっぽのつぼを見せました。

「ねえ、テスの指、変な色になってるよ」

と、ミナが指さしました。

「わ、ほんとだ！」

テスはオレンジ色になった指を石けんで、ごしごしあらいはじめました。

「サフランにさわると、色がつくってこと、わすれてた」

そのとき、ほうきではいたばかりのゆかを見つめていたミナが、ハッと顔をあげました。

「ねえ、テス！　小麦粉についてたまるいあとだけど、あれって、つえのあとってことはないかな？」

「つえ？」

「そう。ほら、チェンバレン卿が使っているようなつえ！」

ミナにそういわれて、テスは首をかしげました。

「でも、チェンバレン卿が、こんなことするかなあ？　それに、あしたはラルム先生のくつをしらべるっていう話はどうなるの？」

ミナもそうじの手をとめて、考えながらいいました。

「あのどろだらけのくつあとが、手がかりのひとつだってことに変わりはないけど……わたしたち、町から帰ってくるまでくつあとには気づかなかったでしょ？　ということは、かんむりがなくなって何時間もたってから、ついたくつあとなのかもしれないよ」

テスは、オレンジ色にそまった指で、おでこをこすりました。

「そうなると、あやしいくつあとに関係あるのはラルム先生で、台所をあ

SUSPECT??
容疑者メモ
名前：
チェンバレン卿
職業：
お城の相談役
memo：
台所にのこされた、
まるいあとは、
つえのあと？

らしたのはチェンバレン卿ってこと？」

「なんだか、あやしい人がどんどんできちゃったね」

ミナは、かたをすくめました。

「消えたかんむりと、あやしいくつあと。それにあらされた台所。なにがどうつながるかわからないけど、とにかくあしたは、しっかりふたりを見はらないとね！」

つぎの日の朝、ミナはおそくまでねていました。きのうはいろんなことが起きたので、つかれきっていたのです。
目がさめてすぐ、きょうはエドワードのたんじょう日だということを思いだし、暗い気分になりました。午後には、お客さまたちがたくさんいらっ

しゃることでしょう。それなのに、ダイヤモンド・ベビークラウンはまだ見つかっていないのです。ミナは、のんびりなんてしていられないと、ベッドからとびおきました。

朝ごはんの席につくと、ミナは小さな弟をハグしました。

「おたんじょう日おめでとう！」

エドワードはごきげんで、ジャムトーストをふりまわしました。うれしそうなのはエドワードだけで、ミナのお父さま、ジェームズ王は、むずかしい顔をしながらペストリーを食べています。お母さまの顔はまっさおで、目の下にはくまができています。トーストをわたしながら、ミナにいいました。

「ミナ、朝ごはんを食べたら、大広間のテーブルにネームカードをセットしてもらえるかしら？」

「もちろん！」

ミナは、トーストとネームカードのたばをうけとりました。

「ああ、それと、パーネル先生が、朝食がおわったらすぐ大広間にきてほしいとおっしゃっていたわ。もう一度、ダンスのおさらいをしたいんですって」

ミナは、かんべんしてと思いました。ダンスはサボってもいいかと聞こうとしたとき、ラルム先生が食堂に入ってきました。テスもつづいて入ってきました。

「こんな失礼なかっこうで、朝食の席についてもうしわけありません」

ラルム先生は、王妃さまに、もこもこのスリッパを見せながらあやまりました。

「じつは、くつが見あたらないのです。いったいぜんたい、どこにいってしまったのやら！」

ミナは、テスのほうをちらりと見ました。テスも、自分とまったく同じことを考えていることがわかります。くつの大きさをはかろうと思ったちょうどそのときに、そのくつがなくなるなんて、なんともあやしい話ではありませんか。

「かんむりのつぎは、くつ。どろぼうは手あたりしだいですなあ」

ラルム先生はジョークをいったつもりでしたが、王妃さまがニコリともしなかったので、あわててまじめな顔をしました。

テスは、トレイをはこびながら、ミナに耳打ちしました。

「チェンバレン卿から目をはなさないでね。ラルム先生は、あたしにまかせて」

ミナは、トーストを口いっぱいにほおばりながらうなずきました。

朝ごはんをすませると、ミナは大広間へ走りました。テーブルにネームカードをならべたらすぐに、チェンバレン卿をさがしにいこうと思ったのです。でも、大広間でパーネル先生につかまってしまいました。

「姫さま、ダンスのじゅんびはできていますの？」

パーネル先生は朝からピンクのシルクのパーティードレスを着て、ハイヒールをはき、白いサテンの手ぶくろをはめています。先生が、片ほうのまゆをぴくりとあげたのを見て、ミナは自分がまだかみにブラシもかけていないことや、エドワードをハグしたせいで、ドレスにジャムがこびりついていることを思いだしました。

そこに、チェンバレン卿がやってきました。つえによりかかりながら、大広間のどこにかざりリボンをかけるか、馬小屋の世話係にあれこれ指示をだしています。

ミナは、なにを話しているのかと耳をすましました。そして、もしチェンバレン卿がかんむりをかくしたのだとしたら、それはどこだろうと考えました。でも、お年をめしても、こんなに働きもののチェンバレン卿をうたがうのは、なんだかまちがっている気がしてなりません。

「わたくしの話を聞いていますか、ミナ姫？」

パーネル先生が、こしに手をあてていいました。

「ワルツのあいだは、つま先をのばすのをわすれないように。さあ、ステップを見せてもらいましょう。そう、今すぐです。そのあとで、フォックストロットのおさらいをしなくては」

先生は手をたたいて、リズムをきざみました。

「ワン、ツー、スリー、ワン、ツー、スリー……」

ミナは、しかたなくくるくるまわりはじめました。チェンバレン卿が台所のほうにいくのが見えます。

――追いかけないと！

チェンバレン卿を見うしないそうで、ミナはあせりはじめました。

――パーネル先生ったら！

ダンスなんてどうでもいいのに！

時間は、こくこくとせまっていました。

Great detective Tess & Mina

第8章

ミナの作戦

——急がなくちゃ、急がなくちゃ！

パーネル先生からようやくかいほうされたミナは、大急ぎでテーブルにネームカードをならべました。

大広間は見事にかざりつけられています。天井には金や銀のかざりがつるされ、長いテーブルには、まっ白な陶器の皿と、クリスタルのグラスがならんでいます。

執事のスティーンさんはダンスフロアのそうじに追われ、会場のすみでは、オーケストラが楽器のじゅんびをはじめています。

ネームカードをならべおわると、ミナはろうかを走って、台所へ急ぎました。チェンバレン卿がいるといいなと思ったのですが、でくわしたのは、スライスしたメロンのトレイをもったテスでした。

「うわっ！」

テスは、トレイをおさえました。

「ミナ！　まだ着がえてないの？　パーティーは、一時間もしないうちにはじまっちゃうよ！」

玄関ホールのハト時計が、テスのいうとおりといわんばかりに、一時を知らせました。

「パーネル先生につかまって、ダンスのおさらいをさせられてたの！」

ハアハアと息を切らしながら、ミナがいいました。

「もう、へとへと！　おかげで、チェンバレン卿を見はれなかったよ」

「あたしも、ラルム先生を見うしなっちゃった」

テスは、かたをすくめました。

「とちゅうまでは、あとをつけたんだけどね。クロッケー場をまわって、中庭の馬小屋にいって、ふん水の横を通ってた。先生ったら、ほんとにあちこちいくんだもの。もしかしたら、なくなったくつをさがしていただけかもしれないけど」

「パーティーで、ふたりを見はりながらワルツをかんぺきにおどるなんて、わたしにはぜったいむり。今だってもう、足がいたいのに！」

と、ミナがなげきました。

「うーん……ウォルシュさんが、テーブルでお給仕していいっていってくれたら、ミナを助けられるんだけどな」

テスは考えながらいいました。

「でも、ウォルシュさんが、あたしは休むべきだっていうの。きのうの夜、台所のそうじを引きうけてくれたからって」

「まって。ということは、テスはパーティーのあいだ、なんでもやりたいことができるってこと？」

ミナの目がきらりと光りました。

「わたし、すっごくいいことを思いついちゃった！」

「いいことって、なに？」

テスがあやしむように見つめると、

ミナは、意味ありげににっこりしました。

「今からいっしょにこられる？」

「たぶんね。ウォルシュさんに聞いてみないと」

テスは、もっていたメロンのトレイをおきに、台所にもどりました。

ミナもついていきます。台所ではウォルシュさんが、バースデーケーキに最後の仕上げをしているところでした。

ケーキ全体をおおう、つやつやした水色のアイシング。三段がさねのあちこちに、馬やライオン、アヒルなど、ねったさとうでつくったカラフルな動物たちや花がかざってあります。

ミナは思わず、歓声をあげました。

「なんてすてきなの！」

そういって、ウォルシュさんにハグしました。

「おてつだいすることある？」

「残念だけど、もうほとんどおわりだよ。できあがったら、大広間にはこんで、カーテンのうしろにかくすことになってるのさ。王さまと王妃さまとちっちゃな王子さまを、おどろかせるためにね！」

そういうと、ウォルシュさんはにっこりしました。

「さあ、おいき。姫さまは、パーティーのしたくをしないといけない時間だ。テスも、きょうはもう、休んでいいよ」

ミナとテスは、うら階段をかけあがりました。

「ねえ、どういうつもり？」

二階につくと、テスがたずねました。

ミナが、だまって、と首をふりました。執事のスティーンさんがナプキンをかかえてリネン室からでてきたのです。ふたりは急いでミナの部屋にかけこむと、ドアをしめました。

「ウォフ！」

ベッドでねそべっていたジャックスが、起きあがって小さくほえました。

「もう、はやく教えてったら！」

テスにせかされて、ミナはようやく口をひらきました。

「わたし考えたの。きょうのパーティーでは、食事がおわったらすぐ、大広間でダンスになるでしょ？　お父さまたちは応接室に移動するから、ど

こもかしこも、お客さまだらけになるよね。だれがかんむりをもっているとしても、ダンスのあいだなら、どさくさにまぎれてお城の外にもちだせる。ここで逃がしちゃ、ぜったいにだめ」

「うん、それで？」

と、テスがうながしました。

「つまりね、わたしがふたりいたら、見はりやすいと思うの」

ミナは、いいことを思いついたと、自信まんまんでした。

「それって……あたしも、プリンセスになるってこと？」

テスは、目をまんまるにしました。

「でも、プリンセスがふたりもいたら、みんな、すぐに気づいちゃうよ！」

「ちがう場所にいたら、だれも気づかないって！　わたしは応接室と客間を見はるから、テスは大広間でプリンセスをして。わたしより、ダンスうまいでしょ」

そういうと、ミナはいしょう部屋から、ラベンダー色のドレスを二まいとってきました。レースとビーズでかざりつけた、あのパーティードレスと、かざりけのないふつうのドレスです。

「これをパーティードレスと同じ感じにできないかな？　時間ないけど」

「あたしたちなら、やれるよ」

テスも、のり気になってきました。

「よぶんにもらってきたレースとビーズはどこ？」

テスとミナは、それぞれ針をもちました。テスがすばやくすそにレースをぬいつけ、ミナは花の形のビーズをむねにつけていきました。ミナが最後のビーズをつけると、ふたりは二まいのドレスをもって、かがみの前にならんでみました。

「なかなかいいんじゃない？　こっちのほうが、ちょっと色が濃くて、レースのつけかたがきれいじゃないけどね」

テスが、仕上げたばかりのドレスを見ながらいいました。

「そんなこと、テスのお母さん以外、だれも気がつかないって」

そういいながら、ミナはパーティードレスに着がえ、かみの毛をセットして、毛先をふんわりとカールさせました。金のネックレスもつけます。

テスも、今仕上げたばかりのドレスを着ると、ミナと同じかみがたにして、金のネックレスを首につけてもらいました。つぎは、小さなむらさきのアメジストをちりばめたおそろいの金のティアラ。仕上げは、ペアのチャームがついた美しいブレスレットです。ミナは、ドレスのチャームがついたほうを自分の手首につけ、かんむりのチャームがついたほうをテスの手首につけました。

「どう?」

ふたりは、かがみの前にならんで立ちました。テスの目のほうが少しだけ濃いハシバミ色で、ドレスも、テスのほうが少し濃いむらさきですが、それをのぞけば、ふたりはほんとうにそっくりでした。

「ミナがふたりいる!」

クスクスわらいながら、テスは長いそでを引っぱって指先をかくそうとしました。

「オレンジ色の指に、だれも気がつかないといいんだけど。何回あらっても、サフランの色がとれないの!」

「指先なんて、だれも見ないよ」

ミナはそういうと、むらさきのサテンのくつをはき、もう一足をテスにわたしました。

「じゅんびはいい？　お客さまたちが、まもなくいらっしゃるわ」

「まって！　あたしたち、合図を決めておかないと。なにか見つけたら、教えあいっこしなきゃいけないでしょ？」

と、テスがいいました。

「玄関ホールのハト時計を鳴らすっていうのはどう？」

と、ミナがていあんしました。

「あれなら大きい音だから、オーケストラがえんそうしていても、ちゃんと聞こえると思う」

「いいアイデアだね！」

ふたりがもっと小さかったとき、テスとミナはよく、ハト時計を鳴らして遊びました。時計の長い針を数字の十二のところにあわせると鐘が鳴り、小さな鳥がとびらからでてきて、ポッポー、ポッポーと鳴きます。

ふたりは、この遊びが大すきでした。でも、しょっちゅう時計が鳴ることにうんざりした王妃さまが、「もうやってはいけません」と禁止したのです。

馬のひづめと車輪の音がしたので、ミナはまどからのぞきました。城の外には馬車の列ができています。ベッドの上のジャックスが体を起こしました。それから、しっぽをだらりとさげると、キルトからとびおりて、ベッドの下にもぐりこみました。

「かわいそうなジャックス！」

テスは、ひざをついてベッドの下をのぞきこみました。そして、手をのばしてジャックスの背中をなでてやりました。

「馬車の音とお客さまがにがてなんだよね？」

「わたし、もういかなくちゃ！」

ミナは、ティアラをまっすぐになおすと、ドアのほうにむかいました。

「テスは、食事がおわるまで、見つからないようにろうかでまってて。ダンスがはじまったらすぐに、合図をするから」

「わかった。でも、ミナ、やくそくして」

テスが、まじめな顔をしました。

「もし、はんにんを見つけても、ひとりでつかまえようとしないでね。相手は危険なことをするかもしれないんだから」

ミナはうなずくと小指をだし、そこにテスも自分の小指をからめました。

「心配しないで。つかまえるときは、ふたりいっしょだよ」

テスとミナは、声をあわせました。

『ダブル・マジック！』

第9章

テスが見つけたもの

テスは大階段の上のろうかから、お客さまがつぎつぎと城のなかに入ってくるのを、こっそり見ていました。

男の人は、えんび服にベルベットのマントをはおり、ぼうしをかぶっています。女の人は、パールのネックレスや、きらきらかがやく指輪をつけています。王さまは玄関ドアの横に立って、お客さまにあいさつしています。ミナと王妃さまとエドワード王子のすがたはありません。もう、大広間のテーブルについているのでしょう。

ろうかの手すりから下をのぞくと、チェンバレン卿がつえにすがるようにして玄関ホールを横切るのが見えました。ラルム先生とパーネル先生も、つづいてあらわれました。ふたりとも、一番いい服を着ています。

テスは心臓がドキドキしてきました。チェンバレン卿のつえは、きのうの夜台所で見つけた、あのまるい小さなあとをつけるのに、もってこいの大きさに見えます。

――あれがつえのあとなら、チェンバレン卿が台所をめちゃくちゃにしたことになる……。

だけど、いったい、なんのために?

まったく、けんとうもつきません。

お客さまたちが全員大広間に入り、オーケストラはしずかな音楽をかなではじめました。大広間からは、ナイフとフォークが皿にカチャカチャとあたる音や、グラスがカチンと鳴る音が聞こえてきます。見はる相手がいなくなったので、テスはろうかでこっそり、ダンスのステップを練習することにしました。ミナのかわりにレッスンをうけたときのものです。

やがて、オーケストラが陽気な音楽をえんそうしはじめ、玄関ホールに人がでてきました。どうやら食事はおわったようです。ラルム先生も大広間からでてきて、玄関のほうにむかいました。

――先生は、お城をでていくつもり？

テスが息をのんで見つめていると、ラルム先生はくるりとむきをかえて、大広間にもどっていきました。

ほっとしたのもつかのま、ミナがスキップしながら通りすぎていきました。大階段をちらりと見あげ、親指をあげて合図します。

いよいよ出番です！　テスは、心臓がのどからとびだしそうでした。

ミナが応接室に消えると同時に、テスは階段をかけおり、大広間に入りました。

大広間は音楽と色であふれかえっていました。ワルツをおどる貴婦人たちの色とりどりのスカートが、ターンをするたびにひるがえります。テーブルに集まって、おしゃべりしたり、ワインを飲んだりしている人もいます。

テスは息をのみました。こんなにたくさんのお客さまと同じ部屋にいたことなんて、今まで一度もありません。

明るい黄色のドレスを着た貴婦人が、手をさしだしてきました。

「お目にかかれて光栄ですわ、ミナ姫さま！」

テスは、ごくりとつばを飲みこみました。

「こ、こちらこそ！」

テスはその女の人とあく手をすると、急いでダンスフロアにいきました。

——おどってさえいれば、だれも話しかけてこないよね！

テーブルの横を通りすぎたとき、ラルム先生の声が聞こえてきました。

先生は、頭がはげた男の人と、おしゃべりしていました。

「そんなわけで、なくしたくつは庭園にあったんですよ。生け垣の迷路のまんなかに！　どうしてあんなところにあったんだか。悪ふざけがしたいのなら、つぎはわたしのくつを使わずにふざけていただきたいものです」

先生の顔つきは、ほんとうのことをいっているように見えました。

——もしかしたら、だれかがラルム先生のくつをぬすんだのかも……。

テスの頭に、ふとそんな考えがうかびました。

だれかが先生のくつを使って、ろうかにどろだらけのくつあとをつけ、それからくつをかくしたのではないでしょうか。くつあとは、消えたかんむりとなにひとつ関係がないのに、重要な手がかりだと思わせようとしたのかもしれません。

そんなことをするのはいったいだれだろう、と考えはじめたとき、テスの目のかたすみでなにかが動きました。大広間の奥のかべは少しくぼんでいて、天井からゆかまで赤いカーテンでかんぜんに目かくしされています。

その赤いカーテンがふくらんで、コックのウォルシュさんのひじやスカートが、横からはみでているのが見えました。

テスは、にっこりしました。

――ウォルシュさん、あそこにエドワード王子のバースデーケーキをかくしてるんだね！

みんなで『ハッピーバースデー』を歌う直前に、カーテンをさっと引いて、サプライズをするつもりなのでしょう。

「ミナ姫さま！」

とつぜん、パーネル先生のきびしい声がとんできました。

「ダンスもしないで歩きまわっているなんて、なにごとですの？」

テスは赤いカーテンの動きに気をとられていたので、いっしゅん、自分がミナになりすましていることを、わすれていました。

「姫さま！」

パーネル先生が、もう一度ぴしゃりといいました。

「お聞きになっていらっしゃいますか？　姫さまにぴったりのパートナーとして、デラー卿をご紹介いたしますわ」

「あ、ありがとうございます」

ところが、やってきたのは、まだおさなくてかわいらしい男の子だったので、テスはわらいをこらえるのに必死でした。

「あの……お会いできて光栄です、デラー卿」

「トムとよんでください！　わたくしとおどっていただけますか？」

男の子は、かんだかい声でそういうと手をさしだしました。小さな男の子がおとなのまねをしているのがおかしくて、テスはふきだしそうになりながらも、なんとかせきでごまかしました。そしてトムの手をとりました。

トムのリードでダンスフロアをくるくるまわりながら、テスはあちこちに目を走らせました。

ラルム先生と、パーネル先生が話しています。チェンバレン卿は、大広間のうしろのほうのテーブルについています。執事のスティーンさんのすがたはありません。テスは、スティーンさんが応接室にいてくれるといいな、と思いました。あそこならミナが目を光らせているはずです。

正しいステップをふみながらまわりを見はるには、集中力が必要でした。曲がおわると、テスはトムにおじぎをしてこういいました。

「なんだかのどがかわきました。飲みものをとってきますわ」

大広間のテーブルでは、メイドのコニーがフルーツジュースを給仕していました。テスは、自分が長いドレスを着ていることをすっかりわすれていたので、テーブルに近づいたときにすそをふんでしまいました。

つまずいたテスは、そばにいたパーネル先生にぶつかりました。先生は運わるく、エルダーフラワージュースのグラスをもったところでした。

ジュースはテーブルクロスの上にとびちり、パーネル先生の白いサテンの手ぶくろにもかかりました。

「ちょっと！　なんてことしてくれるの！」

先生は思わずなじりましたが、すぐに相手がプリンセスだと気づいたようです。あわてて、つくりわらいをうかべました。

「まあ、アクシデントはつきものですわね」

サテンの手ぶくろは、すっかりぬれています。テスは急いであやまりました。

「ほんとうにごめんなさい。ナプキンをもってきましょうか？」

「いいえ、とんでもない！　すぐかわきますわ」

パーネル先生はそういうと、右の手ぶくろをはずしてふりました。新しい手ぶくろをもってきましょうかといいかけて、テスは息をのみました。

――あの色！

テスの目は、先生の指にくぎづけになりました。先生の指先がオレンジ色にそまっています。その明るい色は、まちがえようがありません。サフランです！

――きのう、台所をめちゃくちゃにしたのは、パーネル先生だったんだ！

テスは、視線を足もとに落としました。

――そうか、あれはハイヒールのあとだったのね！

ハイヒールなら、チェンバレン卿のつえと同じように、こぼれた小麦粉にあの小さなまるいあとをつけることができるはずです。

――もしかして、ダイヤモンド・ベビークラウンをとったのも、パーネル先生なの？

テスは、サフラン色にそまった自分の指とパーネル先生の指を、ちらちらと見くらべました。

パーネル先生はとつぜんだまりこんだテスを、あやしむように見つめました。それから、ジュースがわずかにのこったグラスをもって、歩いていってしまいました。

テスは、先生のうしろすがたをじっと追いました。

——ミナに報告しなくちゃ。

パーネル先生を逃すわけにはいきません。テスは、大広間から玄関ホールへと急いで走りました。あまりに急いでいたので、玄関ホールのかがみで全身をチェックしていた、ひげの男の人にぶつかりそうになりました。

ふるえる指で、ハト時計の長い針を、数字の十二にあわせます。すぐに、時計の鐘が鳴りはじめます。ポッポー、ポッポーというハトの鳴き声を聞きながら、テスは階段を大急ぎでかけあがりました。

第10章

カーテンのうしろには

応接室にいたミナは、鳴りひびくハト時計の音にとびあがりました。王さまと王妃さまは、かみにバラをさした貴婦人とおしゃべりしています。エドワードは、プレゼントでもらった新しいコマが気にいったようで、むちゅうで遊んでいます。スティーンさんは、グラスがならんだテーブルの横に立っています。

エドワードがダイヤモンド・ベビークラウンをかぶっていないことに気づいたお客さまたちが、ひそひそ話しているのが聞こえてきます。王妃さまは笑顔をつくろうと必死でしたが、その青白い顔からは、悲しんでいることがじゅうぶん伝わってきました。

ハト時計が鳴りひびいたのは、そのときです。

ガラン、ガラン。ポッポー、ポッポー。

ミナは、急いで玄関ホールへ走りました。

――テスはどこ？

「なんてこった！　い、また姫さまだ！」

と、かがみのところにいたひげの男の人がつぶやきました。

「さっき、階段をあがっていったと思ったのに」

きっと、テスのことをいっているにちがいありません。大急ぎで階段を

かけあがると、ろうかのすみにテスがいました。

「なにがあったの？」

と、ミナは息もつかずにたずねました。テスは、パーネル先生の指がオレンジ色にそまっていたことを話しました。

「うそでしょ……。まさかパーネル先生が……。じゃあ、もしかして、かんむりをとったのも先生なのかな？」

ミナのことばに、テスはまゆをひそめました。

「それはまだわからないけど、パーネル先生がきのうの夜、台所にいたのはまちがいないと思う。でも、どうしてあんなにめちゃくちゃにしたんだろう？　あんなの、かえってあやしまれるだけだよね。きっとなにか理由があるんだよ」

「わたしが大広間にいって、先生を見はるわ」

と、ミナがいいました。

「わかった。ふたりそろってこのドレスを着ていくわけにはいかないから、あたしはメイド服に着がえてくる」

テスは、うら階段のほうへかけだしました。

「できるだけはやく、もどってくるから！」

ミナが大広間に入っていくと、みんなが、なにやらざわめいていました。
スティーンさんが、「しずかに」とさけんでいます。王さまと王妃さまも、応接室からこちらにうつり、奥のほうにいました。エドワードは王妃さまにだっこされています。ミナは、パーネル先生のすがたをさがしました。
「みなさん、おしずかにしてください」

スティーンさんが、片手を赤いカーテンにそえながら、くりかえしいっています。

ミナは、にっこりしました。これからいよいよケーキをおひろめして、『ハッピーバースデー』を歌うのです。エドワードは、あのすてきなケーキを、きっと気にいるでしょう。

——でも、パーネル先生はいったいどこ？

「ミナ！」

王さまが、ミナを見つけてよびました。

「おまえもこちらにきなさい」

ミナは奥のほうに進みました。まだパーネル先生を見つけられません。

どこかにかくれているのでしょうか？

王妃さまは、エドワードのカールしたブロンドのかみにキスをしました。

「いい子だから、おとなしくしててね」

「さあ、みなさん、じゅんびはいいですかな」

と、王さまが大きな声でいいました。

「カーテンを引きたまえ、スティーン」

スティーンさんは、うやうやしく赤いカーテンを両手でつかむと、
さっと引きました。

だれもがハッと息をのみ、大広間はシーンとしずまりかえりました。

そこにバースデーケーキは、かげも形もありませんでした。

みんなが、いっせいにさわぎはじめます。スティーンさんはカーテンのうしろをしらべました。王妃さまは手で口をおおっています。

「コックはどこだ？」

と、王さまがどなりました。

「だれか、コックをここへ！」

「信じられない！　はじめはエドワードのかんむり、つぎにケーキまでが消えてしまうなんて！」

王妃さまは、ショックでたおれそうでした。

ミナは玄関ホールに急ぎました。ウォルシュさんを見つけなくてはなりません。あまりに急いでいたので、入ってきたテスにぶつかりそうになりました。よほど急いで着がえたのか、メイド帽がかたむいています。

「ケーキが消えるはずない！」

と、テスが息をきらしていいました。

「ウォルシュさんは、たしかにケーキをあそこにおいてた。あたし、見てたもの！」

「じゃあ、だれかがぬすんだんだ……。でも、どうして？」

ミナは、思わずなみだがこぼれそうになりました。

「それは、そいつがひきょうで、いじわるなやつだからだよ。そうにきまってるでしょ！」

テスが、かみつくようにいいます。

「だけど、あんなに大きなケーキをもっていたら、はやく走れるわけない。追いかけよう！」

そういうと、テスは走りだしました。

「まって、テス！」

と、ミナがさけびました。

「はんにんがどっちにいったか、わからないじゃない」

「そうだけど……とにかくさがさなくちゃ。あたしは、台所とうら階段を見てくる。ミナは、ほかをおねがい！」

テスは、ふたたび走りだしました。

ミナは立ちどまって、考えてみました。

大広間のざわめきが、どんどん大きくなっています。お客さまはそのうち、玄関にでてきてしまうかもしれません。はんにんはケーキをもって、いったいどこへいったのでしょう？

——もしかして、ひとりじめしたかったのかな？

あんなに大きなケーキをひとりで食べるなんておかしな話ですが、でも、とてもおなかがすいていたのかもしれません。

——だとしたら、どこかしずかな場所にもっていくはずだよね……。

ミナは、玄関のところにいた番兵にたずねました。

「だれか、ケーキをもってここを通らなかった？」

「いいえ、だれも通っておりません、姫さま」

と、番兵がこたえました。

ミナは、首にかけた金のネックレスをいじりながら考えました。

——テスのいうとおり、とにかくさがさないと！

お城のなかで、しずかなところっていえば……。

すばやく頭をはたらかせると、ミナは玄関ホールを横切って『執務室』というプレートがついている部屋のドアをあけ、そっと、なかにすべりこみました。

大きなだ円形のテーブルに書類がたくさんつんであります。王さまと王妃さまはここで、チェンバレン卿やそのほかの相談役と王国で起きているさまざまなことについて話しあうのです。お父さまのマントが、いすにかけてあります。ミナはふだん、ここに入ることをゆるされていませんが、今ならだれにも見つからないでしょう。

ぬき足さし足で部屋の奥までいくと、となりのお父さまの書斎に通じるドアに耳をあててみました。

ドアのむこうで、なにかが動いている気配がします。ミナは息をとめて、ちょっとだけドアをあけてみました。

部屋は、からっぽでした。あけたままのまどからそよ風が入ってきて、つくえの上の書類が、かさかさと音を立てていただけでした。

ミナは部屋を横切って、お城の図書室につながるドアをあけました。

――台所にいったテスは、どうしてるかな？

ふと、はんにんは二階に逃げているかもしれない、という考えがうかびました。でも、二階はだれもしらべていません。

図書室も、からっぽでした。本箱の上をこまかいほこりが舞い、太陽の光をうけてきらきら光っています。あとは、『深紅の間』だけです。大きなだんろと、やわらかいまっ赤なソファがあるこの部屋で、王妃さまは寒い冬におしゃべりするのがお気にいりでした。ミナは、とりあえず『深紅の間』をさっとしらべてから、つぎに二階を見にいくか考えることにしました。

ところが、ドアをぐいっとあけたミナは、その場にこおりつきました。

そこには、エドワードのバースデーケーキを、するどいナイフで切ろうとしているパーネル先生がいたのです！

オレンジ色にそまった指がナイフの柄をにぎりしめ、まるでえものをねらうかのようなするどい目でケーキを見つめています。ナイフはゆっくりと、つやつやした水色のアイシングにふりおろされていきました。

第11章

すべてのなぞのこたえ

「やめて！　どうしてケーキをぬすんだの？」

ミナの声に、パーネル先生はびくっとして顔をあげました。

「ケーキをぬすんだですって？」

先生は、つくりわらいをしました。

「ばかなことをおっしゃらないでください、姫さま。わたくしはただ、お客さまにケーキを切ってさしあげようとしているだけですわ」

「エドワードのパーティーをだいなしにするなんて、ひどい！」

ミナの声がふるえています。

「それに、かんむりはどこ？　かんむりも、先生がとったんでしょ？」

「なにをばかなことを！　かんむりのことなんて、なんにも知りませんわ。大広間におもどりください。わたくしもすぐにまいりますから」

そういうとパーネル先生はナイフをおき、大きなケーキを皿ごともちあげました。そして、城の庭園につづくドアをちらりと見ました。

「ミナ！　どこにいるの？」

テスの声が、かすかに聞こえてきます。

「テス！　『深紅の間』にいる！　はやくきて！　ケーキがあったわ」

ミナが大きな声で返事をすると、バタンとドアをしめる音がして、足音が聞こえてきました。

パーネル先生は片手で皿をもちながら、外につづくドアをあけました。

ケーキがあぶなっかしげにグラグラゆれて、さとうでできたアヒルがゆかに落ちました。

テスが図書室からかけこんできました。

「ケーキは……あっ！」

テスはパーネル先生を見つめました。

「三つ数えたら、ケーキをとりもどすよ」

ミナが口をあまり動かさずにいいました。

「一、二の、三！」

テスとミナは、まっ赤なソファの両はしからとびかかりました。パーネル先生はケーキをテーブルにたたきつけるようにおくと、ナイフをさっととりあげました。

「下がりなさい！」

先生は、つめたい声でいいました。
「このケーキは、わたしのものよ」

「なんのさわぎだね？」

王さまがエドワード王子をだいて、図書室につながるドアから入ってきました。王妃さまとスティーンさんもいっしょです。

「ミナ！　それにテスも。なんてことだ。どうしてここに、王子のバースデーケーキがあるのかね？」

パーネル先生はナイフをおくと、はりつけたような笑顔をうかべました。

「これは陛下！　ご心配をおかけして、もうしわけございません。ミナ姫さまとテスがケーキの前でふざけておりましたので、コックがわたくしに、どこかしずかなところで、ケーキを切りわけてきてほしいとたのんだのです」

テスとミナは、顔がかーっと赤くなりました。

――うそばっかり！

そのとき、王さまのうしろから白いエプロンすがたのウォルシュさんがバタバタと走ってきて、パーネル先生にむかっておたまをふりまわしました。

「あたしゃ、そんなことといってないよ！　陛下、ケーキを切りわけてくれなんて、あの女にたのんだおぼえはありません！」

パーネル先生は、たじろぎました。

「わたくしは……よかれと思ってしたまでですのよ。よろしければ、ここで切りわけて、すぐに大広間におもちしますわ」

パーネル先生のサフラン色にそまった指が、ケーキのてっぺんにさっとふれました。それを見たしゅんかん、ミナの頭のなかで、バラバラだったパズルのピースが、とつぜん、はまりはじめました。

きのうの朝、お母さまの部屋から走りさった人影。

パーネル先生が台所にかんむりをさがしにいったこと。

「あのとき、ちょうどケーキの生地ができたばかりだった……。そこに、先生がやってきたんだわ」

ろうかのくつあと。そして、そのくつあとは、だれかがわざとのこしたものだとテスが見やぶったこと。

ミナの頭のなかで、どんどんピースがはまっていきます。

ミナはテスを見つめると、くいっとあごでケーキをさして、目をまんまるにしてみせました。とたんにテスも、ハッとしたように目を見ひらきました。

「とにかく、これでケーキが見つかったことを、お客さまたちにご報告できますわ」

と、王妃さまがいいました。

「そうだな」

と、王さまがうなずきました。

「大広間にもどって、さっそく伝えよう。パーネル先生、ケーキをもってきてくださるかな。きょうはめでたい席だ。終わったことは、よしとしよう」

王さまは王妃さまのうでをとって、大広間にむかって歩きだしました。

「だめよ、まって！」

と、ミナがさけびました。

「今たしかめなくちゃ！」

パーネル先生が手をのばす前に、テスがケーキのナイフをさっとつかみました。

「ミナ！　いったいなにごとです？」

と、王妃さまが大きな声でいいました。

ミナは大きく深呼吸をしてから、みんなを見つめて話しはじめました。

「お母さまたちにはまだ話していなかったけれど、きのうの夜、お城の台所がだれかにあらされていたんです」

パーネル先生は、両手をぎゅっとにぎりしめました。

「ほんとのことですよ、王妃さま！　まったくひどい状態だった！」

と、ウォルシュさんがうなずきました。

「一番ひどかったのは、ウォルシュさんが前の日につくった、ためしのバースデーケーキ。てっぺんから切られて、なかがえぐられていたの。ケーキをだめにした人は、それがためしにつくられたケーキだなんて知らなかった。そうですよね、パーネル先生？」

ミナが、パーネル先生をキッと見つめました。

「ハ！　ばかばかしい！　なんのことやら、さっぱりわかりませんわ」

先生は、バースデーケーキをちらりとふりかえりました。

テスは、きらきらしている水色のアイシングに顔を近づけました。

「このケーキのてっぺんは、なんだかでこぼこしています。このかたまりを見てください。ほら、花のとなりのところ」

「あたしゃ、ベストをつくしたんだよ……」

と、ウォルシュさんが、もうしわけなさそうにいいました。

「なのに、てっぺんが、こんなにでこぼこしちゃって。いつもなら、こんなふうにはぜったいならないのにねえ」

「どうしてなのか理由はわかってるわ。これはね、ふつうなら入っているはずがないものが、ケーキのなかにあるからなの」

と、ミナ。

「なにが入(はい)っているか、見(み)てみましょう」
そういうと、テスはナイフをかまえました。
ミナが皿(さら)をおさえて、テスがケーキのまんなかを
そっと切(き)ります。ナイフが、なにかかたいものに

あたって、カチンと音を立てました。
切ったケーキのすきまから、
きらりと光るものが見えます。

「ダイヤモンド・ベビークラウンだわ！」

と、王妃さまがさけびました。

「なんてことでしょう！　あなたたち、どうしてこれがケーキのなかにあるとわかったのです？」

ミナが、パーネル先生を指さしました。

「あの人が、お母さまの部屋からかんむりをぬすみ、台所にあったケーキの生地のなかにかくしたんです！　ケーキのなかを見る人なんていないから、それはかんぺきなかくし場所だった。かんむりはケーキごとオーブンでやかれ、そのままずっとなかにあったというわけ！」

「この、どろぼうめ！」

ウォルシュさんは、また、おたまをふりあげました。

「おまえさんがなにかをたくらんでるって、あのとき気づくべきだったよ。

あたしの台所を、いろいろかぎまわってたあのときにね！」

「きのうの夜、パーネル先生はケーキからこっそりかんむりをとりだそうとしたんだわ。でも、台所にあったのはためしのケーキで、なかにかんむりはなかった。本物のケーキは、ウォルシュさんがたなに入れて、かぎをかけてあったから。先生は、ケーキだけだめになっていたらあやしまれると思って、台所じゅうめちゃくちゃにしたのね」

と、ミナが説明しました。

「そして、そのとき、先生の指は、サフラン色にそまってしまいました。ほら、あたしの指みたいに。きのう台所をかたづけていたとき、色がついちゃったんです」

テスはそういうと、自分のオレンジ色の指を見せました。

「ちっ……。あともうすこしで、この美しいたからものを、わたしのもののにできたのに！」

パーネル先生は、くやしそうにさけびました。

「だれか！　パーネル先生を、今すぐこの城からつまみだせ！」

王さまが、大きな声で命令しました。

赤い制服を着た番兵たちが、つかつかと歩いてきて、先生を城の庭園に通じるドアへとつれていきました。パーネル先生はむりやりつまみだされながらも、もうちょっとでうまくいったのにとわめいて、王さまをにらんでいました。

お父さまの大声におどろいたのか、エドワード王子が泣きだしました。

すかさずウォルシュさんが、ケーキにかざられたさとう菓子のヒツジをとって、エドワードにもたせてやりました。

「心配いらないですよ、ちっちゃな王子さま！　このコックが、あっとい

うまにかんむりをとりだして、ケーキをもとどおりにしますからね！　でも、まずは、みんなで『ハッピーバースデー』を歌いましょうかね！」

エドワードは泣きやむと、「ハピバー！」といって、さとうのヒツジをなめてにっこりしました。

第12章

ダブル・マジック！

みんなで『ハッピーバースデー』を歌ったあと、ウォルシュさんがケーキから金のかんむりをとりだして、クリームのかけらをきれいにとってくれました。王妃さまが、かんむりを王子の頭にのせると、ちりばめられたダイヤモンドが、きらきらとかがやきました。

王さまはエドワード王子をだっこして、満面の笑みをうかべています。

「ミナ、テス、お手がらだったな。見事だった。これは、特別なほうびにあたいするぞ。なにかほしいものはないか？

なんでもいいなさい」

王妃さまが、ぴくりとまゆをあげました。

「あなた、本気ですの？　なんでもって？」

「もちろん、本気だ！　ふたりは、この城の名探偵だからな」

と、王さまがウインクしていいました。

テスとミナは顔を見あわせました。なんでもすきなことができるチャンス！　こんなことは、めったにありません。あのスティーンさんですら、うなずきながらにこにこしています。

ミナは、テスに耳打ちしました。

「みずうみはどう？」

「うん、あたしも、同じこと考えてた」

テスが、ささやきかえします。

ふたりは王さまのほうをむくと、声をそろえていいました。

『わたしたち、みずうみでボートにのりたいです！』

「それは、いい！　スティーンに、ボート小屋をあけさせよう」

と、王さまがいいました。

「ボートにのるときとおりるときは、じゅうぶん気をつけるのですよ」

と、王妃さまもにっこりしました。

✦

それから、みんなで台所にケーキをもっていきました。ウォルシュさんがアイシングをぬりなおします。エドワード王子をだっこした王さまと王妃さま、そしてスティーンさんも、そのようすを見ています。

テスとミナは、最後の仕上げをてつだいました。テスがさとうをねって、ミナがそれを花の形にします。そしてその花を、ケーキのてっぺんにのこっていたナイフの切れ目にさしました。

ウォルシュさんが、アイシングの表面をならしてかんせいです。

「さあ、できたよ！」

「まるで新しいケーキみたいだわ！　ありがとう、ウォルシュさん！　あなたは、天才ね」

王妃さまは、大よろこびです。

「あたしにゃ、ゆうしゅうな助手がいますからね」

ウォルシュさんが、テスとミナににっこりしました。

「わたくしが、このケーキを大広間にもどしてまいります、陛下」

スティーンさんはそういうと、ケーキの皿をもちあげました。

「おねがいしますわ、スティーンさん！」

と、王妃さまがいいました。

「さあ、パーティーにもどりましょう。ウォルシュさんとテスもです。あなたたちも、いっしょに楽しんでもらわないとこまりますよ！」

⚜・✦・⚜

その日の夕方、テスとミナは、城のみずうみでボートにのっていました。

テスは、つめたい水に指をつけてみました。

「気もちいい！　毎日ボートにのれたらいいのに」

「そうなったら、サイコーだね！」

ミナは、思いきりオールをこぎました。

「ジャックスもそう思うでしょ？」

「ウォン！」

ボートにのりこんでいたジャックスが、大きくほほえました。その目はきらきらかがやき、金茶色の毛がそよ風になびいています。

「パーネル先生がいなくなったから、ダンスのレッスンがなくなるのがうれしいな！」

と、ミナがわらいました。

「ミナはレッスンなんて、ほとんどでてなかったくせに」

テスは、にやりとしました。

「ちゃんとテスに教えてもらってたじゃない」

と、ミナがいいかえしました。

「わたしは、ダンスよりケーキをつくるほうがずっとすき。ウォルシュさんって、ほんといい人だよね。でも、さっき、パーネル先生にむかっておたまをふりまわしてたときは、びっくりしたけど！　頭をたたくかと思っ

ちゃった」

「ウォルシュさんって、ときどき、ほんとにこわいんだよ！」

テスは、もう一度にやりとしてそういうと、「あたしにもこがせて」とオールをとって、小さくひとかきしました。

ボートの前を、アヒルの親子がクワックワッとおよいでいきます。ジャックスが、アヒルにむかって「ウォフ！」とほえます。

「だけど、ミナ。ケーキのなかにかんむりがあるなんて、よくわかったね。パーネル先生は、ぜったいばれないって思ってたはずだよ」

と、テスが感心したようにいいました。

「テスが、先生のオレンジ色の指を見つけてくれたおかげだよ。わたしたち、ほんとに名探偵かも！」

ミナは、うれしそうにいいました。

「だとしたら、もっとたくさん、なぞをとかないとね」

テスは、そういいながら、岸のほうをちらりと見ました。スティーンさんが、お客さまにストロベリークリームをくばっているのが見えます。

「ほら、あそこに、金色の羽がついたピンクのぼうしをかぶった女の人がいるじゃない？　もしあの人がイチゴどろぼうだったらどうする？　みんなのストロベリークリームをぬすみにきたのかも！」

目をかがやかせているテスを見て、ミナはクスクスわらいだしました。

テスのメイド帽が、なんだかでこぼこしていることに気づいたのです。

「そんなことより、今ここに、とかなきゃいけないなぞがあるみたいよ」

そういうと、ミナは手をのばして、テスのぼうしを引っぱりました。

「え？」

テスは、あわてて頭に手をやりました。メイド帽の下にティアラをつけたままだったのです。アメジストをちりばめた金色のティアラは、夕日をあびて、きらきらかがやいています。

「あのとき、あたし、大急ぎで着がえたから、ティアラのこと、すっかりわすれちゃってたんだ！」

ミナは、自分のティアラにふれると、小指をさしだしました。

「わたしたち、またおそろいだね」

テスもにっこりわらって、小指をからめました。

『ダブル・マジック！』

ペブリル城のごちそう特集

消えたかんむり事件がぶじにかいけつしてよかった～！
テスもわたしも、ホッとひと息だよ。
さて、ここからは、テスミナ★チャンネルの時間♪
今回はお話にでてきたおいしいおやつとドリンクを
紹介するよ★

ペブリル城の朝ごはん

ジャムトーストとペストリー★

王さまの大好物♪

★114ページでミナたちが食べているよ

きょうのジャムはママレード

カリッとやいたトーストにたっぷり
ジャムをのせるのがペブリル流！
パイ生地がサクッとおいしいペストリー
には、おこのみのベリーをのせて。

夕すずみのデザートにぴったり

ストロベリークリーム★

おさとうをかけてもOK！

★186ページで、スティーンさんがお客さまにくばっているよ

イチゴに生クリームをかけて食べる、
イギリス・ウィンブルドン地方の名物デザート。
イチゴは10つぶ以上入れるのがおやくそくなの。

みんなはどれを
食べてみたい？
【ニードルニードル】でおやつタイム
レモネードと
ジンジャークッキー★
ビタミンCが
たっぷり
うすくやくのが
ポイント
★63ページで
テスとミナが
食べているよ
飲むと元気になれる、
テスのお母さんの自家製レモネード。
しょうがをねりこんだクッキーは、
ちょっと背のびな味でやみつき♪
さわやかな
ブルーの
アイシング
ミナとウォルシュさん特製
王子のバースデーケーキ★
ツヤツヤのコーティングのなかには、
ふんわりとおいしいスポンジが！
おさとうでできた動物たちが、
なんともキュート♪
★6ページで
ミナがまぜた生地で
できているよ
伝統的なドリンク
エルダーフラワージュース★
★144ページで、
パーネル先生が
もっているよ
エルダーフラワーは
こんなお花だよ
おさとうなどとエルダーフラワーを
煮つめたシロップを、
お水やサイダーで割って飲むよ。
かぜをひいたときにもおすすめ。

ソファつきのすてきな出まど
Point
ここから庭園が見えるよ。
デスが描いた絵
いしょう部屋
Point
だんろの上には小物をかざって。
Mina's Room
ミナの部屋
お気にいりの写真たち

テスとミナのお部屋、大公開★

ふたりはいつも、どんなふうにすごしているの？
気になるお部屋をのぞいちゃおう。

なかに入るときは、ノックをわすれずに！

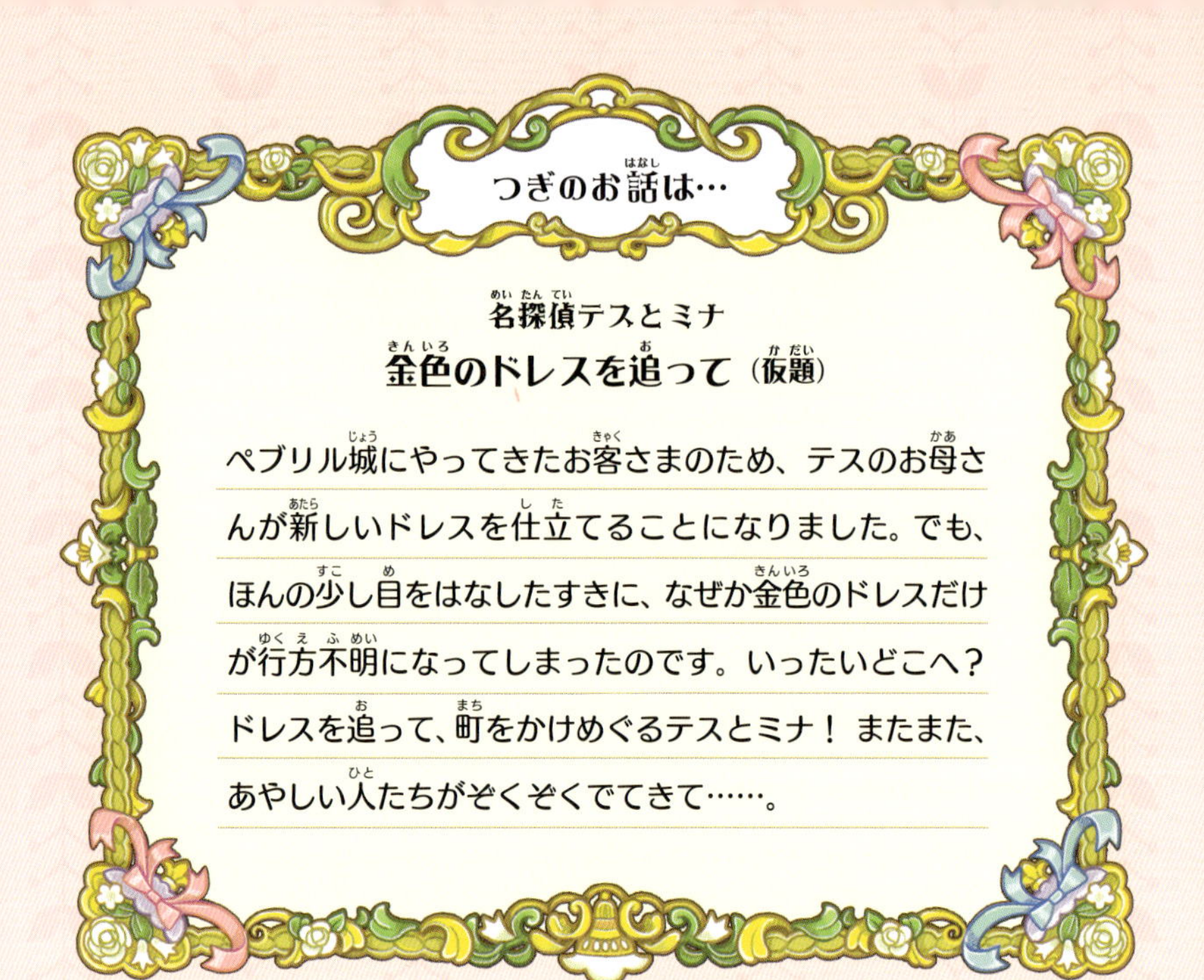

つぎのお話は…

名探偵テスとミナ
金色のドレスを追って（仮題）

ペブリル城にやってきたお客さまのため、テスのお母さんが新しいドレスを仕立てることになりました。でも、ほんの少し目をはなしたすきに、なぜか金色のドレスだけが行方不明になってしまったのです。いったいどこへ？　ドレスを追って、町をかけめぐるテスとミナ！　またまた、あやしい人たちがぞくぞくでてきて……。

また、つぎのお話であおうね♥

テスとミナに着てほしい、ふたごコーデも募集中だよ☆

本の感想や、すきなシーンをおしえてね☆

★ みんなのお手紙まってます ★

〒105-0001 東京都港区虎ノ門 2-2-5 共同通信会館 9F

（株）文響社　「テスミナ」係　まで

◇ いただいたおたよりは、訳者・画家におわたしいたします。

作 ポーラ・ハリソン （Paula Harrison）

イギリスの児童文学作家。小学校教師としてはたらいたのち作家になる。代表作の"The Rescue Princess"シリーズは世界中で翻訳されたベストセラー。「王女さまのお手紙つき」シリーズ(学研プラス)の原作として日本でも刊行されている。すきな食べ物はカップケーキとポップコーン。

訳 村上利佳 （むらかみ りか）

愛知県生まれ、名古屋市在住。南山大学外国語学部英米科卒業。商事会社に勤務後、翻訳の勉強をはじめ、やまねこ翻訳クラブに所属。訳書に『気むずかしやの伯爵夫人』『人形劇場へごしょうたい』（以上、偕成社）などがある。すきな食べ物はフルーツたっぷりのパンケーキ。

絵 花珠 （かず）

徳島県生まれ、岐阜県在住。子どもの本をこよなく愛するイラストレーター。挿絵作品に「動物探偵ミア」シリーズ（ポプラ社）、『おんなのこめいさくえほん〜ゆめいっぱいみんなプリンセス』（西東社）などがある。すきな食べ物はチョコミント。

名探偵テスとミナ ①
名探偵テスとミナ 消えたかんむりのなぞ

2018年11月13日 第1刷

作　　者　ポーラ・ハリソン
訳　　者　村上利佳
イラスト　花珠
デザイン　吉沢千明
校　　正　安倍まり子
編　　集　森彩子
発 行 者　山本周嗣
発 行 所　株式会社 文響社
〒105-0001 東京都港区虎ノ門2-2-5 共同通信会館9F
ホームページ http://bunkyosha.com
お問い合わせ info@bunkyosha.com
印刷・製本　中央精版印刷株式会社

Japanese text © Rika Murakami 2018
ISBN978-4-86651-099-6　N.D.C.933/192P/18cm　Printed in Japan

本書の全部または一部を無断で複写（コピー）することは、著作権法上の例外を除いて禁じられています。

購入者以外の第三者による本書のいかなる電子複製も一切認められておりません。

定価はカバーに表示してあります。

この本に関するご意見・ご感想をお寄せいただく場合は、郵送またはメール(info@bunkyosha.com)にてお送りください。